プロローグ

「自分の子どもに殺され、妻《つま》と国を奪《うば》われる」という
神託《しんたく》（神の予言）を受けたテーベ国のライオス王は、
生まれたばかりの子であるオイディプスを、
遠い山の中に捨《す》てさせた。
自分の手で殺すのは忍《しの》びなかったのである。
しかし、それを命じられた王の臣下《しんか》の者も、
やはり、まだ小さな赤子を
置き去りにすることはできず、赤子を羊飼《ひつじか》いに託《たく》した。
その後、赤子は、子どものいない、
遠国の王夫妻の養子となり、
養子であることは本人にも告げられなかった。
オイディプスは、養父母のもと、健《すこ》やかに成長し、
賢《かしこ》くたくましい青年になった。

に意外な結末
100万円
Mummy removal becomes mummy
美術全集
Gakken

「5分後に意外な結末」シリーズ

5秒後

オイディプスの黒い真実

桃戸ハル 編著
usi 絵

あるとき、自分の出生に疑問《ぎもん》をもったオイディプスは、
神々に真実を聞こうとして、神託《しんたく》を受けた。
それは、「故郷《こきょう》を捨《す》てなければ、父親を殺すことになる」
という、驚《おどろ》くべきものだった。
両親と故郷に別れを告げ、オイディプスは旅に出る。
途中《とちゅう》、ケンカをしかけてきた無法者を返《かえ》り討《う》ちにし、
また、スフィンクスの謎《なぞ》を解き、退治《たいじ》したことで、
国王がいなくなっていたテーベの新王となり、
先王の王妃《おうひ》と結婚した。
しかし、その後、テーベ国は不作と疫病《えきびょう》が続いた。
ふたたびオイディプスは、神託を受ける。
「先王を殺害した者が捕《つか》まらない限り、不幸は続く」
そして、自ら調査した結果、衝撃的《しょうげきてき》な事実が判明する。
かつて、自分が返《かえ》り討《う》ちにした無法者こそ
先王ライオスであり、彼は自分の実の父親であった。
「真実を見通すことのできない目など、必要ない！」
オイディプスは、自らの目に針《はり》を刺《さ》した。

目次

contents

※「第78話」が抜けているのは、演出上の理由によるもので、間違いではありません。

ブックデザイン：Ｓｉｕｎ
編集協力：原郷真里子、飯塚梨奈
ＤＴＰ：四国写研

第1話

龍《りゅう》神《じん》沼《ぬま》の伝説

「お前たち、この沼《ぬま》に何をしようとしてるんだ!」

老人が、顔を紅潮《こうちょう》させて、怒鳴《どな》り散《ち》らす。

怒鳴られたのは、テレビ番組「黄金《おうごん》の林檎《りんご》」の人気コーナー「沼《ぬま》の水を全部抜きまSHOW《ショウ》」の撮影《さつえい》スタッフであった。

老人は、取《と》り憑《つ》かれたように叫《さけ》び続《つづ》ける。

「龍神様《りゅうじんさま》の祟《たた》りがあるぞ! この沼に触《ふ》れてはならん!」

しかし、村長が、番組スタッフに小さな声で説明した。

「あのご老人、十年ほど前に奥さんが

行方不明になってから、ずっとあの調子なんです。

龍神の祟りなんて、聞いたこともない。

私どもは、番組が放送されて、村が有名になってほしい。

あんな戯言《ざれごと》は、気にしないでください」

老人は皆《みな》に押さえつけられ、沼の水が抜かれはじめた。

沼の水が抜かれはじめてから3日後——。

だんだんと、沼の底が露《あら》わになってきた。

番組のプロデューサーが村長に言った。

「龍神伝説があるところには、『沼《ぬま》の主《ぬし》』とも言える巨大な魚がいることも多いんです。楽しみですね」

しかし、大型の魚はたくさんいたものの、『主《ぬし》』と呼べるような巨大魚《きょだいぎょ》は姿《すがた》を現さない。

その代わり、ロープでぐるぐる巻《ま》きにされ、重しがつけられたブルーシートが発見された。

そのブルーシートの中を見たスタッフが、悲鳴を上げた。

「は、白骨《はっこつ》が……、たぶん人間の白骨死体《はっこつしたい》です！」

その後の検死《けんし》により、白骨死体は、行方不明になっていた老人の妻だということが判明《はんめい》した。

その後、老人は、自分が犯した罪と、龍神伝説を捏造《ねつぞう》し、沼に人が近づかないようにしていたことを自白した。

第2話 神隠《かみかく》しの町

海岸沿《ぞ》いにありながら、背後には山が迫《せま》る、
その閉塞的《へいそくてき》な町には、「神隠《かみかく》しの伝説」があった。
「夜に口笛《くちぶえ》を吹《ふ》いていると、神隠しにあう」、
「満月の日、海岸で男女が密会《みっかい》すると、神隠しにあう」、
などなど、伝説には、様々なバリエーションがある。
テレビ番組「黄金《おうごん》の林檎《りんご》」の人気コーナーである
「伝説の真相」チームが、その検証《けんしょう》に乗り出した。
スタッフが取材を進めると、その噂《うわさ》は、比較的最近——
数十年前からでてきたことがわかった。
スタッフは、さまざまな噂のパターンを検証するため、
まずは、満月の日に、
カップルを装《よそお》った男女スタッフにデートさせ、
その様子を隠しカメラで撮影した。

カップルを装《よそお》う男女スタッフは、
なんとなく、伝説の真相に気づいていた。
――この町は、息がつまる。
地形的な理由もあるかもしれないが、人々も無口で、
どことなく排他的《はいたてき》な印象がある。
若者なら、早く町から出たいと思うだろう。
たぶん、この閉塞感《へいそくかん》に耐《た》えられなくなった者が、
周囲の反対を押し切り、黙《だま》って出て行ってしまい、
それが「神隠し」と解釈《かいしゃく》されたのだろう。
と、そのとき、遠く沖《おき》のほうでいくつかのライトが光り、
それが急接近《きゅうせっきん》してきたかと思うと、
ゴムボートに乗った十数人の迷彩服《めいさいふく》を着た男たちが、
外国語で話しながら、あっという間に上陸してきた。
そして、カップルを装った男女スタッフを捕縛《ほばく》し、
ボートに乗せて連れ去った。その間、わずか数分。
スタッフが現場に駆《か》けつけたときには、
すでにボートも真相も暗闇《くらやみ》の中に消えていた――。

第3話

愛の逃《とう》避《ひ》行《こう》

海《うみ》鳥《どり》が舞《ま》う、夕《ゆう》暮《ぐれ》どきの海岸。

若い男女が、肩《かた》を寄せ合いながら、
海の向こうの遠い故郷《こきょう》に思いをはせるように、
水平線をながめていた。

女が、今にも消えてしまいそうな小さな声で
男に話しかける。

「私たち、もう生きては帰れないのかしら？」

「そんなことはないよ。

まだ気づかれていない可能性だってある」

「私、怖《こわ》い……」

「大《だい》丈《じょう》夫《ぶ》だよ。君のことは、僕が絶対に守るから」

私たち、もう逃《に》げられないのかしら？
大《だい》丈《じょう》夫《ぶ》。まだ気づかれていないかもしれない……

愛し合う2人の願いが叶《かな》うことはなかった。
視線を合わせず、
小声で話していたにもかかわらず、
やはり、怪鳥《かいちょう》は気づいていた。
古代の翼竜《よくりゅう》にも匹敵《ひってき》するような
大きなクチバシを開けて、
正確に男をくわえこむ。
そして、悲鳴を上げる女に
構《かま》うことなく、
一息に男を飲み込んだ。

第4話

名もなき花

長い間、A国とB国は戦争状態にあった。

あるとき、A国の国王が亡《な》くなり、その子である青年が、新しい王として即位《そくい》することになった。

新王は、草花を愛する優しい青年で、国民にも慕《した》われていた。

その日、新王が植物に水やりをしていたとき、宰相《さいしょう》がやってきて新王に言った。

「また、草花の世話ですか。そんな、名もなき花のことよりも、国家のことを真剣に考えてくださいませぬか」

宰相は以前から、全兵力を投入しての総攻撃《そうこうげき》を新王に提案していたのだが、了解《りょうかい》を得られなかったのだ。

「その攻撃で、何という名の兵士が犠牲《ぎせい》になるのだ?」

新王の問いに、宰相は、イライラした口調で答えた。

「一兵士の名前など、わかるはずないではありませぬか。王ならば、名もなき兵士のことより、国のことをお考えください!」

「そなたは、先ほど、この草花のことを、
『名もなき花』と言ったな。しかし、これらの花には、
それぞれちゃんと名前があるのだ。
それを、そなたが知らないだけなのだよ。
戦争で犠牲《ぎせい》になる兵士にも、
『名もなき兵士』なんて、1人もいない。
みんなそれぞれ、名前もあり、人生もあり、家族もいる。
国を指導《しどう》する我々が、そのことを忘れてはいけない」
宰相《さいしょう》は下を向いて黙《だま》っている。
「そなたが国を思う気持ちは痛《いた》いほどわかる。
しかし、広く国を見渡《みわた》そうとして、高いところに立つと、
地に足をつけている国民の顔も、
地に咲《さ》く花も見えなくなる。
私は、B国と交渉《こうしょう》して、戦争を終わらせようと思う。
そのためには、そなたの手腕《しゅわん》が必要だ。
協力してくれるな？」
宰相の目には、涙《なみだ》があふれていた。

第5話

命の恩人《おんじん》

森深い山で遭難《そうなん》した男が、
何日も、飲まず食わずで彷徨《さまよ》っていた。
――もう、これ以上は動けない。
そう思った、まさにそのとき、
たき火にあたっている老人と出会った。
残念ながら、その老人も同じ遭難者であったが、
老人は、森で採取した食料を男に分け与え、
餓《が》死《し》しそうなところを助けてくれた。
それから数日後、男の目の前に捜索隊《そうさくたい》が現れた。
男は目に涙《なみだ》を浮かべながら、老人に感謝した。
「あなたが貴重な食料を、分けてくれたおかげで、
救助が来るまで生きられました。
あなたは命の恩人《おんじん》です」

森の中、たき火にあたる老人の側で、
男が一人倒《たお》れている。
男の近くには、一口だけかじられた、
大きなキノコが転がっていた。
老人はため息をついて、つぶやいた。
「はぁ……。これも毒《どく》キノコだったか。
派手《はで》な模様《もよう》もないし、色や匂《にお》いが普通だったから、
今度こそ、大丈夫《だいじょうぶ》だと思ったんだが……。
しかし、先にこいつに食べさせてみて、よかったわい。
また命拾《いのちびろ》いしたな。
それにしても、幸せそうな顔で死んでおる。
おおかた、死ぬ前に、
救助される幻覚でも見たんだろう。
あぁ、腹が減った。捜索隊《そうさくたい》はまだかのう……」

第6話

ネバーランドの約束

僕は今、ネバーランドで暮《く》らしている。
海賊《かいぞく》との戦い、宝探し、魔物狩《まものが》り……、
この国での生活は、毎日が冒険《ぼうけん》だ。
ここにいれば、いつまでも子どものままでいられる。
僕は、ずっとここで暮らしたいと思った。
それなのに、ある日、自分の体の異変《いへん》に気づいた。
声が野太《のぶと》くなり、背《せ》も伸《の》び、
全身の毛も濃《こ》くなってきたのである。
これは、大人になりかけている証拠《しょうこ》なのでは？
僕は、ピーターパンに相談した。
ピーターパンは、僕を励《はげ》ますように言ってくれた。
「君の心が、純粋《じゅんすい》な子どものままだってことは、
ちゃんとわかっているよ。だから、いつまでもこの国に
いられるよう、ボクが君に魔法をかけてあげよう」

ピーターパンは、僕に魔法をかけてくれた。
だから僕は、今でも、この国に住んでいられる。
ただ、ピーターパンは僕に、こんな約束をさせた。
「魔法が完全にかかるまで、
ほかの人には姿《すがた》を見られないようにしていてね。
魔法が解けてしまうから」
僕は、誰にも見られないように、
山奥《やまおく》の小屋に隠《かく》れていることにした。
でも時間が経ち、だんだんと寂《さび》しくなってきた。
――みんなに会いたい。また楽しい冒険がしたい。
山から下りて、町へと向かった。僕の姿《すがた》を見ると、
みんなが歓声《かんせい》を上げて、走《はし》り寄《よ》ってきた。
でも、何かがおかしい。その理由はすぐにわかった。
みんな、手に、剣《けん》や槍《やり》、弓矢《ゆみや》を持っているのだ。
「魔物が現れたぞ！　みんなで退治《たいじ》するぞ！」
満面の笑顔を向けて、子どもたちが僕に、
無数の剣を振り下ろした。

第7話

運命の再会

年老いた男が、バーに入ると、
女が1人、座ってカクテルを飲んでいた。
その女は、かつて男が、初めて本気で愛した女だった。
ずいぶん長い間、会っていなかった相手との再会に、
男は驚《おどろ》いて言った。
「もう二度と会えないと思っていたのに、
こんな偶然《ぐうぜん》、まるで奇跡《きせき》のようだ」
すると女は、首を振《ふ》って答えた。
「偶然じゃないわ。これは必然よ。
絶対また会えるって、思っていたから」
2人は微笑《ほほえ》み、それから、
互いのグラスを、カチンと軽くぶつけた。

病室では、1人の年老いた男が、
ちょうど息を引き取ったところだった。
彼の息子は、悲しむ家族を慰《なぐさ》めるように言った。
「親父は、大往生《だいおうじょう》だったよ」
涙《なみだ》をぬぐいながらうなずいて、息子の妻は言った。
「10年前に亡くなったお義母《かあ》さんと、
向こうで会えているかしら？」
息子は、父親の、微笑《ほほえ》んでいるようにも見える
安らかな死に顔を見ながら答えた。
「母さんは、親父が人生で初めて
本気で好きになった相手だったんだって。
行きつけのバーで最初に出会った時から、
親父は生涯《しょうがい》、母さんしか愛さなかった。
今ごろ、再会を祝《しゅく》して、2人で乾杯《かんぱい》でもしているさ」

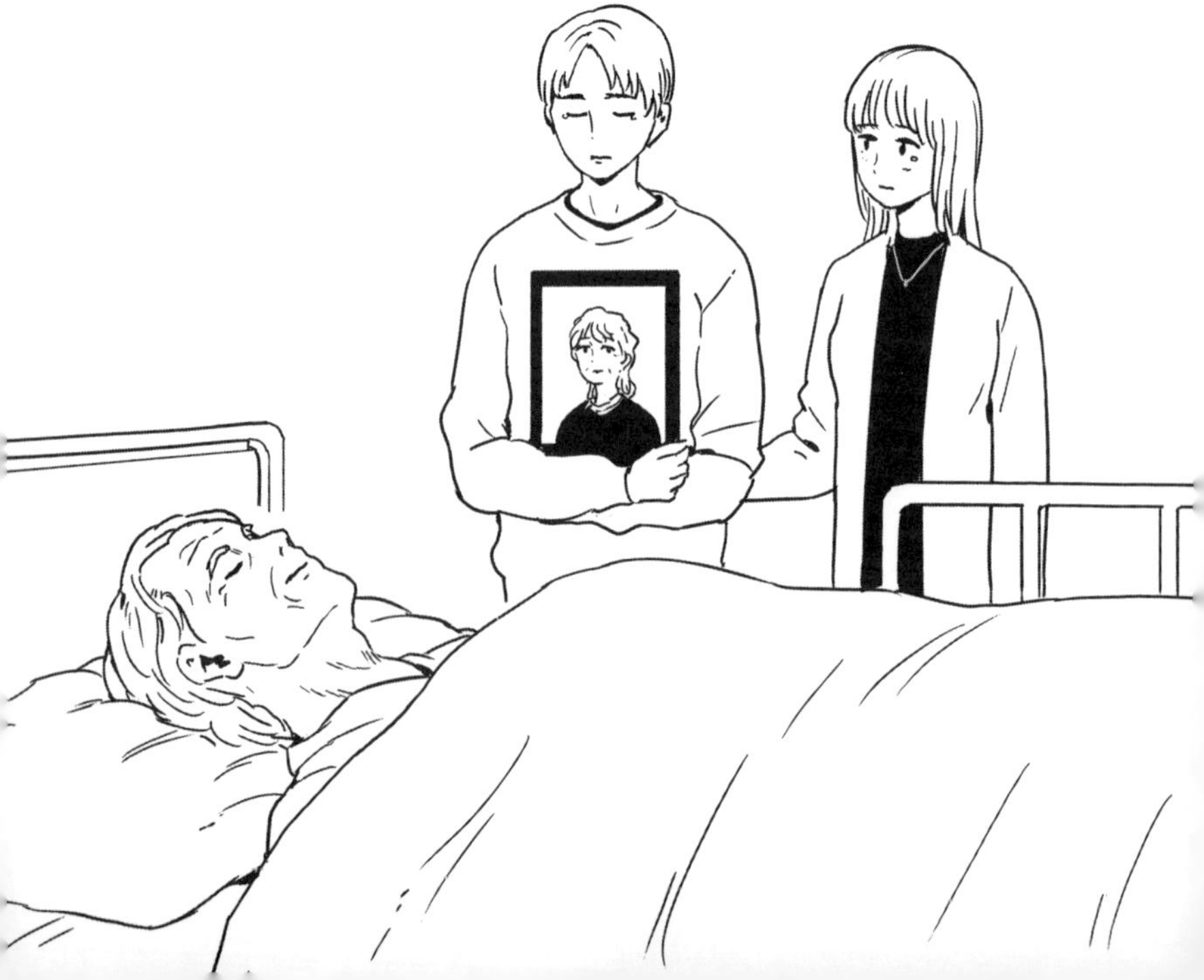

第8話
嫌《きら》いなやつ

他人のことを、妬《ねた》んでばかりいる男がいた。

「あいつ、実力もないクセに、卑怯《ひきょう》な手を使いやがって」

「あの野郎さえいなきゃ、俺が出世していたのに」

「俺が気に入らない連中は、皆、消えてしまえばいいのに」

彼は、自分より成功している人間が大嫌《だいきら》いで、いつも、そんな恨《うら》み言《ごと》ばかり吐《は》いていた。

そんな彼の元に、ある日、魔神が現れて言った。

「お前に、このボタンをやろう。これを押《お》せば、お前の嫌いな人間の存在を、この世から消すことができるぞ」

男は、魔神の言うことを疑《うたが》いもしなかった。

——大嫌いな人間がいなくなったら、どんなに清々《せいせい》することだろう。

男は喜んでボタンを受け取り、迷《まよ》わず押した。

男がボタンを押した瞬間《しゅんかん》、男自身の姿《すがた》が消えた。
それを見た魔神は、あきれたように言った。
「せっかく、素敵《すてき》なプレゼントをしてやったのに、
それを無駄《むだ》にしてしまうとは……。
あの男が本当に嫌《きら》いだったのは、
周りの人間ではなく、他人を妬《ねた》んでばかりで、
その実、何もできていない自分自身だったということか。
認めたくなくて、無意識にその気持ちから
目をそらしていたんだろうが、
自分の本心にさえ気づかない……、
いや、きちんと見つめられないとは、
まったく愚《おろ》かな人間だ。
きっと人間そのものが愚かなのだな」

第9話 DEAD OR ALIVE《デッド・オア・アライブ》（生死は不問）

ある日、町中の電柱や壁《かべ》に、
鳥の写真が印刷された紙がベタベタと貼《は》られた。
それは、「逃げ出してしまったオウムを探しています」
という内容のものだったのだが、
町の人々が驚《おどろ》いたのは、そのオウムに、
「100万円」という高額の懸賞金《けんしょうきん》が
つけられていたことであった。
「あのご夫婦、すごく愛情深くて優しいから、
飼《か》っていたオウムを、自分の子どものように
思っているんだね」
人々は、貼《は》り紙《がみ》を見て、そんな会話を交わした。
しかし、願いも届《とど》かず、オウムは見つからないようで、
飼い主の夫婦が、捕虫網《ほちゅうあみ》をもって町中を
ウロウロしている様子が、たびたび目撃《もくげき》された。

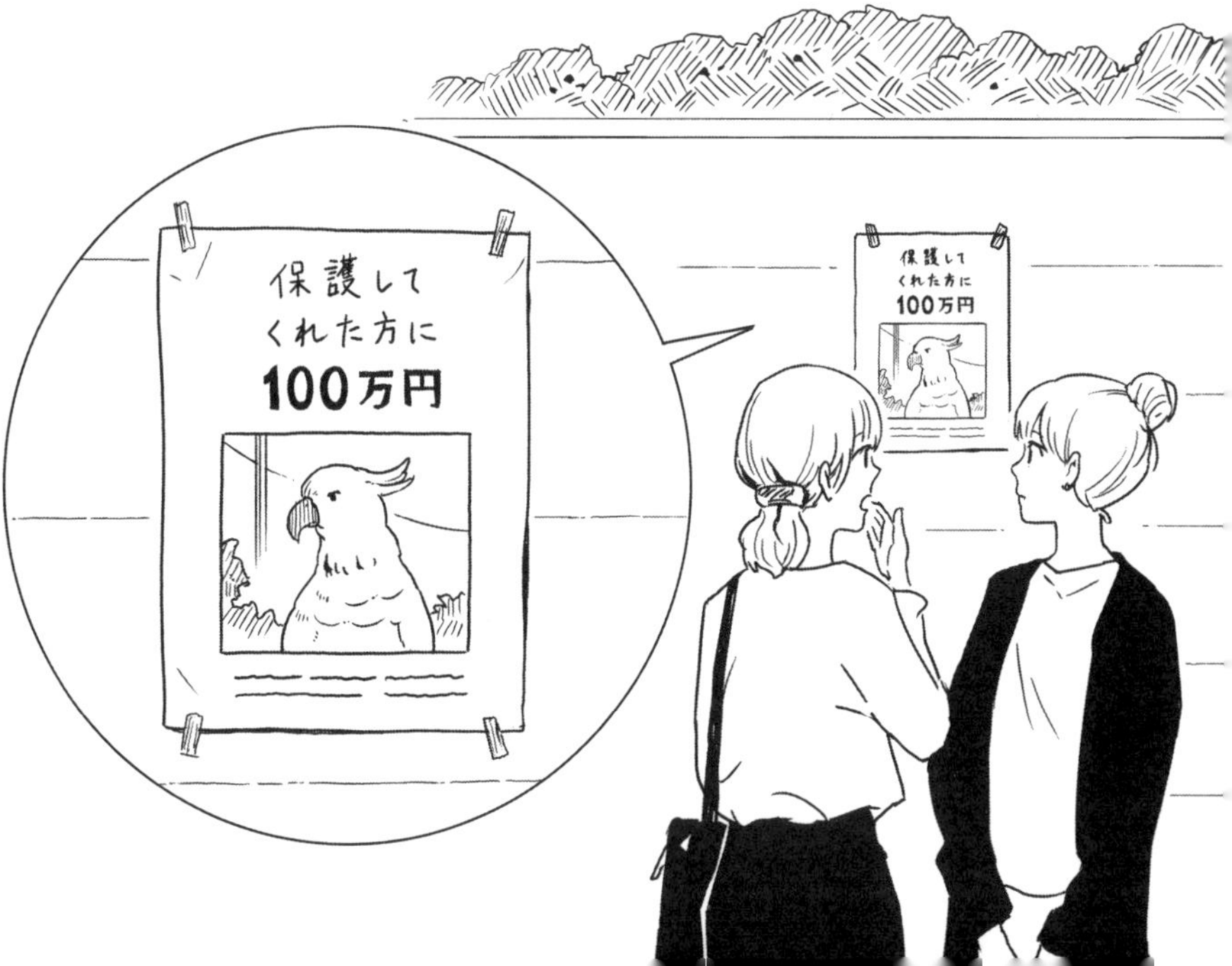

飼《か》い主《ぬし》の妻《つま》が、夫に向かって言った。

「あなた、エアガンなんて持っていたら、町の人に怪《あや》しまれるでしょ！」

「じゃあ、オウムが、アミの届《とど》かないところにいたら、どうするつもりだ？　これで撃《う》つしかないだろ？　そもそも、お前が、鳥カゴの扉《とびら》を開けっぱなしにしたのがいけないんじゃないのか？」

反論してきた夫に、妻が、怒鳴るように言った。

「そもそもで言うなら、あなたが、あのオウムに、ご近所さんの悪口を言ったのがいけないんでしょ！」

『隣《となり》のクソババァ』『下手なピアノを弾《ひ》いてんじゃないわよ』『ほんと、頭が悪そうな子どもよね』……オウムが覚えた悪口は、全部、お前の言葉だ！

あのオウムが、町中で俺たちの真似《まね》をして悪口をさえずり回ったら、大変なことになるぞ！」

トナリノ
クソババァ
ウルサイワネ
アノコドモ
バカナンジャ
ナイノ

第10話

勉強嫌《ぎら》い

「僕、やっぱり、勉強なんてしたくない!」

7歳のジョージが、母親に訴《うった》えた。

「ジョージ、なぜそんなこと言うの?

あなた、『たくさん勉強して、立派《りっぱ》な政治家になって、

それで大統領《だいとうりょう》になるのが僕の夢なんだ!』って、

あんなに張り切っていたじゃない」

「だって……」

ジョージは言った。
「たくさん勉強すれば、いい大学に入れるでしょ？
大学でも勉強して、卒業してからも一生懸命《いっしょうけんめい》働けば、
みんなから信頼されて、
『ぜひ政治家になってくれ』って、
期待されるでしょ？
政治家になって、国民のために頑張《がんば》れば、
『大統領《だいとうりょう》になってくれ』って頼まれるでしょ？
そして大統領になったら、
戦争で国民を戦地に送ったり、
人を不幸にするための政策を、
たくさん作らないといけない……そうでしょ？
そんなことをしなきゃいけないくらいなら、
勉強なんて、やらないほうがいいんだよ！」

第11話

正しい道

ドライブ中に、カーナビを見ると、その画面上では、
車は海の上を走っていることになっていた。
「このあたり、海を埋《う》め立《た》てた土地だったな。
カーナビのやつ、古い地図データを読んでるな。
ほんと、相変わらずポンコツなナビだよ」
そうつぶやくと、突然《とつぜん》、
誰もいないはずの後部座席から声が聞こえた。
「いいえ、このカーナビは、
正しい現在地を示していますよ。
あなたは、交通事故で亡くなり、今、
天国に向かっている最中《さいちゅう》なのです」
驚《おどろ》いてバックミラーを見ると、
そこには、いかにもな姿《すがた》の、真っ白な天使が微笑《ほほえ》んでいた。

しかし、そのままナビの指示通りに
車を走らせ続けると、やがて、いつも通り、
男の自宅に到着《とうちゃく》した。
「おいおい、天国に行くんじゃなかったのか？
本当に相変わらず、ポンコツなナビだな」
車を駐車場に入れ、車から降りた男は、
大声でそう叫《さけ》ぶと、
いつも通り、玄関のドアを開けた。

第12話

壮絶《そうぜつ》な人生

彼の口から聞いた、私と出会う前の彼の人生は、
「壮絶《そうぜつ》」の一言だった。
名門一族の、遺産相続《いさんそうぞく》に端《たん》を発する愛憎劇《あいぞうげき》。
いがみ合う家に生まれた、彼の両親の、
駆《か》け落《お》ちに近い結婚。
2人の間に生まれた、双子《ふたご》の兄弟。
そして――つかの間の幸せ。迫《せま》り来《く》る両家の追手。
引《ひ》き裂《さ》かれた、彼と双子《ふたご》の弟。
弟を連《つ》れ戻《もど》そうとした彼の父の、不審《ふしん》な事故死。
あとを追うように病気で他界《たかい》した、彼の母親。
「それで、弟は？　弟を、いつ、どこで見たの？
幼い頃に別れたきり、弟には会うことすらできない。
僕は、ささやかだけど、幸せな人生を送れている。
でも、弟は僕の代わりに不幸になっているに違《ちが》いないんだ」

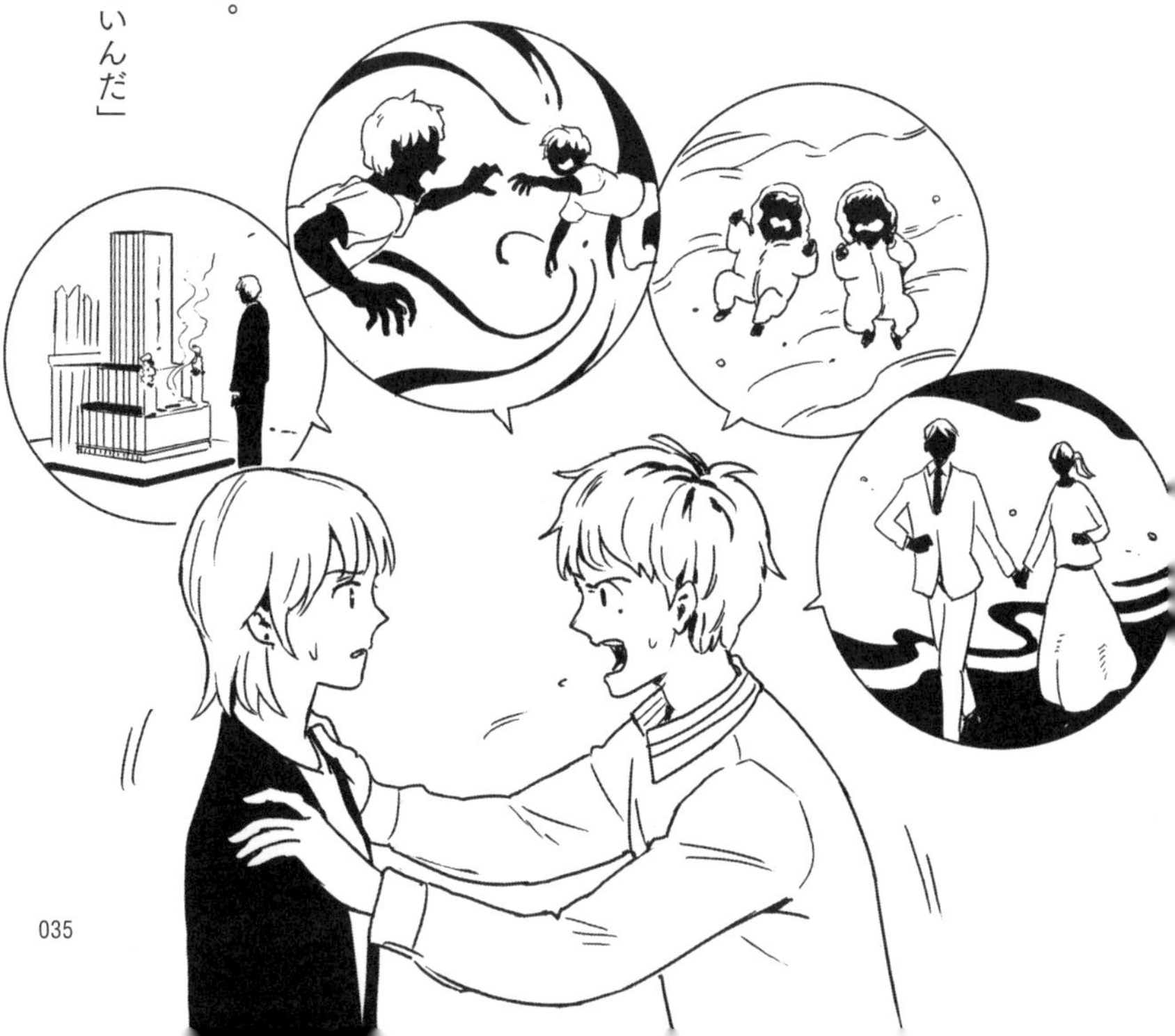

興奮《こうふん》する彼をなだめるように、私は言った。
「双子《ふたご》って、育つ環境がまったく違《ちが》っても、
同じような体型になるものなのね。
髪の毛を、あなたと同じく金色に染《そ》めているのも、
双子は、好みが似《に》ているから？
ホクロの位置も同じになるもの？
そんな不幸な境遇《きょうぐう》にある弟さんが、
楽しそうに若い女子と手をつないで
買い物してたのはまぁいいわ。
幸せになる権利は、誰にもあるものね。
でも、私が作った手編みのマフラーをしていたのは、
どう説明するの？
何が、生き別れた双子の弟よ！
見苦しい浮気の言い訳をしてんじゃないわよ！」

第13話
究極《きゅうきょく》の選《せん》択《たく》

今、少女は、「究極の選択」に頭を抱えていた。
「夢」か「お金」かを選ばなくてはいけないのだ——。
少女には、小さい頃から、
「アイドルになる」という夢があった。
しかし、どう努力しても夢に近づくことができない。
そして、頼ったのが「魔神の力」だった。
今、目の前には、呼び出した魔神がいる。
が、少女にはすぐに決断できない理由があった。
父が経営していた会社が倒産《とうさん》してしまったのだ。
家族が貧乏生活を送らないよう、
魔神には、家族のために、「お金」を願うべきかもしれない。
少女は、スマホを取り出すと、誰かと何かを話し、
ひとつの願いを魔神に伝えた。

少女が電話をした相手は、母親だった。

何度も母親から電話がかかってきていたのだが、電話にでている余裕《よゆう》はなかったので、無視をしていたのだ。

それでもしつこく電話をしてくるので、出ざるをえなかった。

母親は、驚《おどろ》くべき事実を少女に伝えた。

父親が交通事故で亡くなった、というのだ。

事故なのか、会社が倒産し、失意のうちに自ら命を絶ったのかはわからないそうだ。

少女は、瞬時《しゅんじ》に決断した。魔神への願いごとを――。

小1時間後、家の駐車場《ちゅうしゃじょう》に車を停《と》める音が聞こえる。

直後、父親の、怒鳴るような喜ぶような声がした。

「おいおい、天国に行くんじゃなかったのか？

本当に相変わらず、ポンコツなナビだな」

そして、いつも通り、玄関のドアが開いた。

第14話

イス取りゲーム

子どもたちが音楽室に入ると、
教室の中央には、イスがキレイな円形に並《なら》べてあった。
「先生、これ、イス取りゲームでしょ？」
1人の子どもが、大きな声で質問する。
教師は、その子の質問に答えることなく、
説明をはじめた。
「みなさん、先生が弾《ひ》くピアノの音楽に合わせて、
イスのまわりをスキップしてください。
それで、先生のピアノが止まったら、
いちばん近いイスに座ってくださいね。
じゃあ、はじめますよ」
そして、教師は、ニコニコと笑いながら、
楽しそうにピアノを演奏《えんそう》しはじめた。

しばらくの間、教師は楽しそうにピアノを演奏《えんそう》し続けた。

一方の子どもたちは、いつ演奏が止まるのかと、やや緊張《きんちょう》の表情を浮《う》かべながらスキップした。

中には、チラチラと教師を見ている子どももいる。

と、突然《とつぜん》、ピアノの演奏が止まる。

子どもたちが、奪《うば》い合《あ》うようにして近くのイスに座る。

イスに座れた子どもたちは、ある者はほっとし、またある者は、喜びはしゃいだ。

しかし、直後、皆《みな》、何かがおかしいことに気づいた。

なんと、全員が座れていたのだ。

教師が、全員を見て、ゆっくりと語りかける。

「何でも競争《きょうそう》、競争。そんなの間違《まちが》ってます。

音楽は、曲を聴《き》いて楽しんだり、踊《おど》ったりするもので、誰かと競争するためのものではないんです。

さぁみんな、楽しみましょう!!」

そして、ふたたびピアノを弾《ひ》きはじめた。

第15話

科学者vs予知能力者

若きロボット科学者と、未来予知能力者が、ロボットの未来について討論《とうろん》していた。未来予知能力者は、これまで数々の予言を的中させ、マスコミからも注目されている人物である。

「30年後には、ロボットが暴走し、人間が支配される社会になるのは間違《まちが》いない。A《エー》I《アイ》が大統領《だいとうりょう》を務《つと》める国だって出てくるよ。そもそも、2045年が技術的特異点《ぎじゅつてきとくいてん》となり、社会の中心が人工知能になる、なんてことを言い出したのは、科学者さんでしょう?」

若き科学者は、熱い眼差《まなざ》しで反論した。

「私は、ロボットの未来、そして人間の理性を信じている。ロボットの暴走なんて、あり得ない!」

それを聞いた、予知能力者は、小馬鹿《こばか》にしたような表情で、彼が見た未来のビジョンを科学者に告げた。

30年後、年老《としお》いたあなたが、ロボットの身の回りの世話をしている姿《すがた》が、はっきりと見えましたよ
人間がロボットの世話?そんなこと、あり得ない!

その後も討論《とうろん》は続いたが、
結局、意見は対立したまま終了した。
控《ひか》え室に戻《もど》った予知能力者は、
卑屈《ひくつ》な笑顔《えがお》でつぶやいた。
「俺がどんなに適当な未来予知をしたところで、
30年後のことなんて、誰も覚えているはずがない。
だから、適当な予言をしたところで、何の問題もない。
近い将来の未来予知だって、
違《ちが》う媒体《ばいたい》で、真逆《まぎゃく》の予知をしておけば、
必ずどちらかは的中するだろうさ。
もし、矛盾《むじゅん》をつかれたって、
『未来は、刻一刻《こくいっこく》と変わる』っていう、
お決まりのセリフで論破《ろんぱ》できる。
そんな適当《てきとう》な未来予知が重宝されるってことは、
『未来予知』なんて、
誰も信じちゃいないってことさ。
本物には生きづらい世の中だね……」

あの科学者に、「本当に未来の姿《すがた》が見えた」って言ったところで、信じるわけないしな……

第16話
戦いの後……

長い戦争が終わり、
1人の兵士が故《こ》郷《きょう》に帰ってきた。
そして彼は、何の跡《あと》形《かた》もなくなってしまった、
一面の焼け野原を目《もく》撃《げき》した。
「我々は、戦争に勝利した。
しかし、これが戦争というものなのか……」
兵士は、悲《ひ》哀《あい》に満ちた声で、そうつぶやき、
何度も何度も、拳《こぶし》を地面に叩《たた》きつけた。

「おかえり！　そんなに強く地面をノックしなくても、ちゃんと聞こえているよ」

その時、地面から、ひょっこりと懐《なつ》かしい顔が現れ、兵士に声をかけた。

兵士が、嬉《うれ》しそうに尋ねる。

「この辺の地上の土地、すべて、焼《や》き払《はら》うのに成功したんだな」

兵士が言うと、地面の男は答えた。

「仕方がない。これが戦争というものだ。やらなきゃ、こっちがやられてた。でも、地面の下の、俺たちの町は、まったくの無傷さ。地上の人間どもとの戦争は、俺たち地底人の大勝利ってわけさ」

その口調には、犠牲《ぎせい》となった地上人への哀《あわ》れみはなく、事務的な報告と、少しだけ自慢気《じまんげ》な匂《にお》いが混《ま》じっていた。

地底人の兵士は、また嬉《うれ》しそうな表情で、仲間の後に続いて、地面の下の故郷《こきょう》へと潜《もぐ》っていった。

第17話

勇気をくれた言葉

「こんな会社、こっちから願い下げだ！」
怒鳴《どな》り声を上げて、米田が社長室からとび出してきた。
廊下《ろうか》には、ちょうど彼の親友がいて、
今の声を聞いたのか、心配そうな顔をしている。
それまでの怒《いか》りの表情を一変させた米田が、
親友に、微笑《ほほえ》みながら言った。
「ついに辞表を叩《たた》きつけてやったよ。
これからは独立して頑張《がんば》るつもりだ。
一瞬《いっしゅん》ためらいそうになったけど、
お前がいつも、
『本当のお前はこんなもんじゃない。
お前の実力は俺が一番よく知っている。
お前は、こんな会社にいたらもったいない』
って励《はげ》ましてくれたから、勇気を出せたよ」

米田が立ち去ったあと、米田の親友の山本は、社長室の扉《とびら》を激《はげ》しくノックした。

「入りたまえ！」

山本が社長室に入ると、社長が米田と同様、やさしい微笑《ほほえ》みを浮かべながら言った。

「ようやく厄介《やっかい》な社員が、自分から会社を辞《や》めてくれたよ。今の時代、コンプライアンスだのハラスメントだので、社員１人をクビにするのも簡単じゃないからな。君のおかげだ。ありがとう」

山本も、ニヤリと笑って答えた。

「なぁに、単純なヤツですから。他にも辞めさせたい社員がいたら、言ってください。また俺が、おだてて、そそのかしてやりますよ。その代わり、俺の出世のほう、お忘れなく」

第18話

水よりも濃《こ》し

父親が息子に、理科の勉強を教えていた。
「何度言ったら分かるんだ！
いいか、水に塩分を加えると、
沸点《ふってん》――つまり、沸騰《ふっとう》する温度が高くなるんだ」
それを聞いた息子が、不満そうに言った。
「何度聞いても、実感として分からないよ。
やっぱり、パパの説明は、おかしいよ！」
理解できないどころか、反発してくる息子に、
父親は怒りを爆発させた。
「おかしくなんかないだろっ！
どうして、そんな簡単なことも覚えられないんだ！」
すると息子は、我が意を得たり、という表情で言った。
「それだよ、それそれ！」

「だって、パパは、いつもママから、
『塩分の取り過ぎだ』って言われてるでしょ？
それなのに、今もそうだけど、
すぐにカッとなって怒るじゃない。
すぐに怒ることを、
『沸点《ふってん》が低い』って言うんでしょ？
やっぱり、ボクが言っていることが正しいよ」

第19話

理想の介《かい》護《ご》者《しゃ》

人間嫌《ぎら》いで有名な、
ロボット工学の第一人者である博士が、
自分の老後の面倒《めんどう》を見させるための
介護用ロボットを造った。
最新の人工知能を搭載《とうさい》しているので、
話し相手としても退屈《たいくつ》しないし、
長く一緒に生活すればするほど、
博士の思考や感情を学習していく。
丈夫《じょうぶ》なボディは、半永久的にメンテナンス不要で、
自己修復機能もついている。
博士は、「これで老後も安心だ」と満足した。

10年後――。

介護用ロボットは、新品同様の美しさを保っていた。

だが、いつの頃からか、挙動《きょどう》がおかしくなり始めた。

同じ会話を繰《く》り返《かえ》したり、

目的もなく徘徊《はいかい》したりするようになったのだ。

自己修復機能も、正常に働かなくなったようだ。

「人工知能の部品寿命《じゅみょう》が、

想定以上に早かったようだ……」

眉《まゆ》をしかめて、博士は言った。

10年連れ添《そ》った彼女に愛着を感じていたので、

廃棄《はいき》や人工知能の交換による

データリセットは、考えられなかった。

「……わしよりもお前のほうが、先に老いたか」

博士はロボットに介護されるどころか、

ロボットを介護しながら暮《く》らすようになった。

博士は、若い頃に未来予知能力者と名乗る男と

討論《とうろん》したことを思い出し、寂《さび》しく笑った。

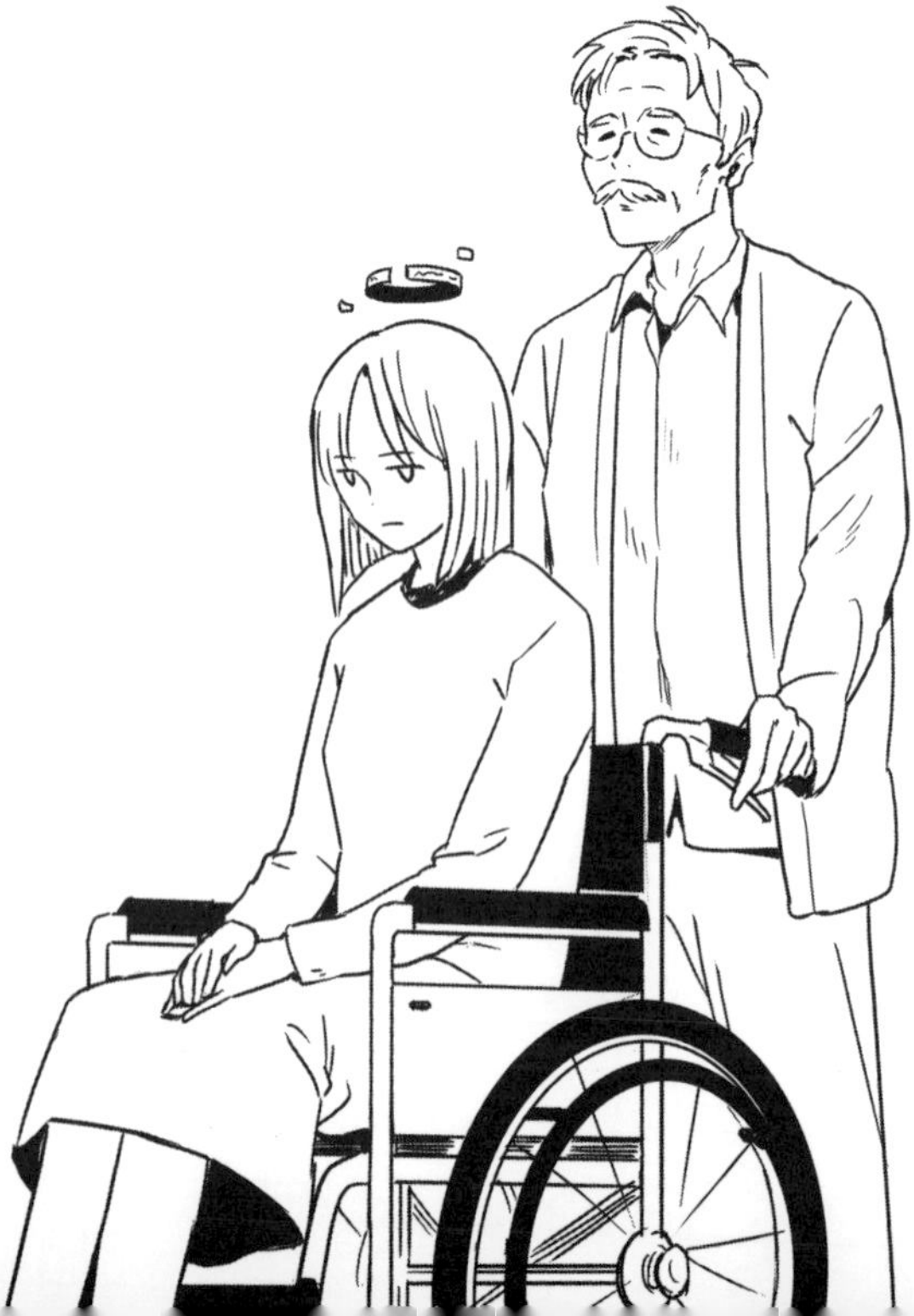

第20話
人間のすばらしさ

人間嫌《ぎら》いで有名な、
ロボット工学の第一人者である博士が、亡くなった。
「あの博士、壊《こわ》れた介護用ロボットの面倒《めんどう》を見て
過労死《かろうし》したらしいぞ」
人々は、博士の死の原因を知り、
あざけるような笑い顔で、噂《うわさ》しあった。
頭脳《ずのう》部分が壊れてしまったロボットは、
研究所に警察官が訪《おとず》れて
博士の遺体を回収しようとしても、
決して博士から離れようとしなかったという。

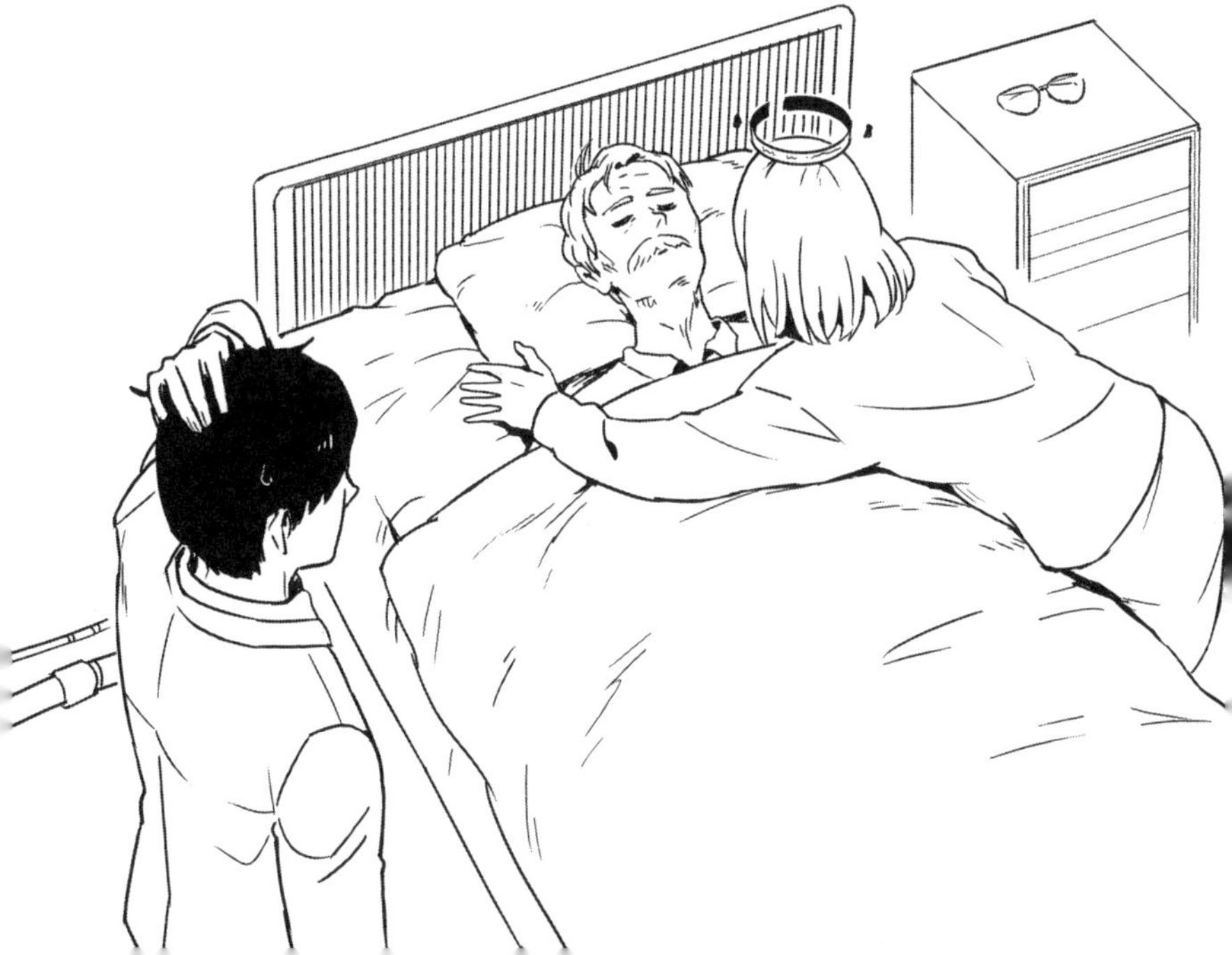

ロボットが異常をきたす少し前——。
博士とロボットは、いつものように会話をしていた。
「人間は、なんて醜《みにく》い生き物なんだ」
毒《どく》を吐《は》くように博士が言うと、
珍しくロボットが反論した。
「いえ。人間はすばらしい存在です」
「ならば、そのことを証明してみせたまえ」
その日から、ロボットの頭脳は異常をきたした。
そして博士は、役立たずになったロボットを
廃棄《はいき》することなく、最期まで面倒《めんどう》を見続けた。
ロボットは、人間の命令に従わなくてはいけない。
それは、「自らの身を守ること」に優先する。
博士の命令——人間のすばらしさを証明するため、
ロボットは自らの頭脳を自壊《じかい》させた。
博士が、自分という「人間」のすばらしさに
気づけたかどうかは、わからない。
そして、ロボットの真意も、誰も知らない。

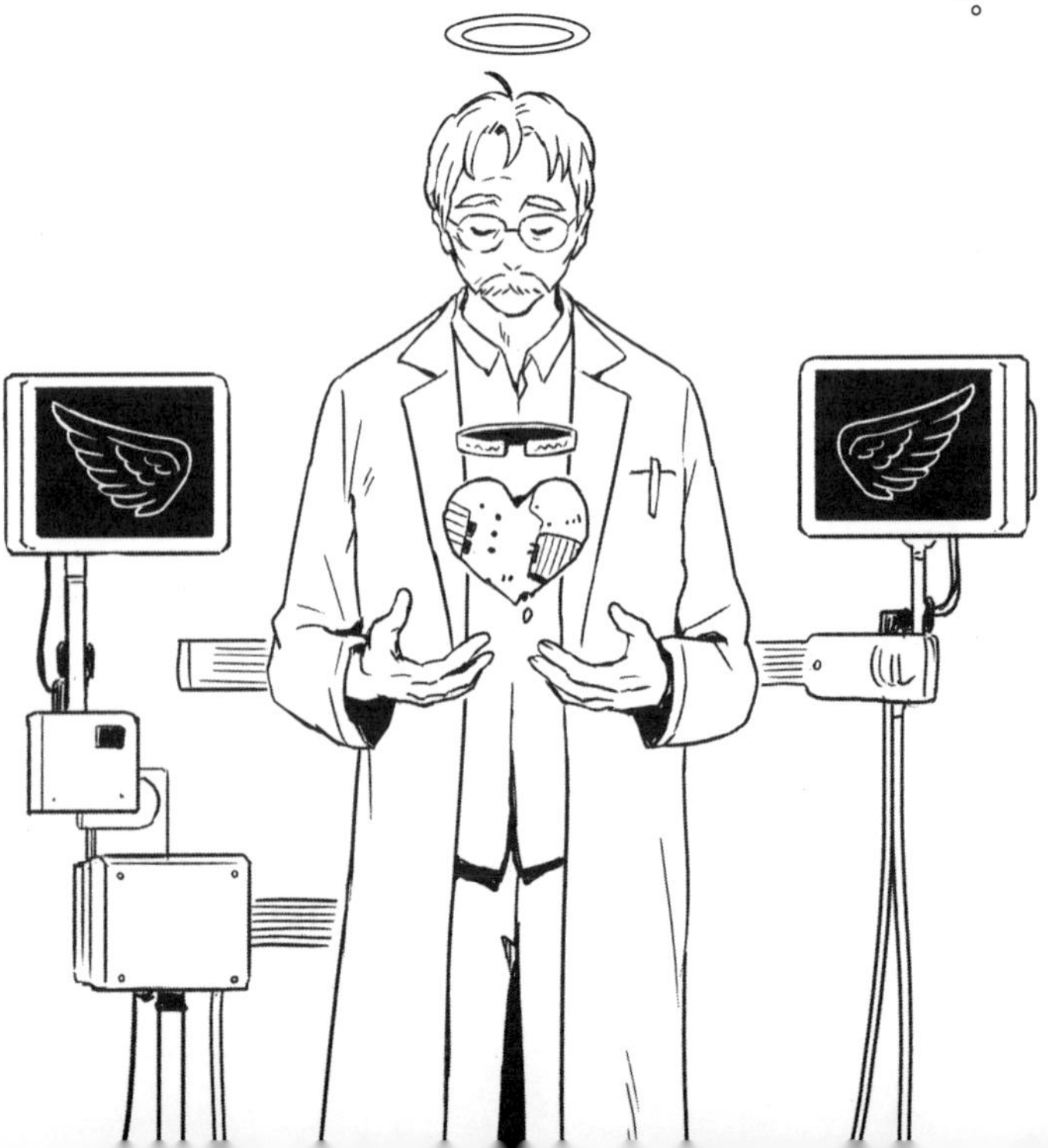

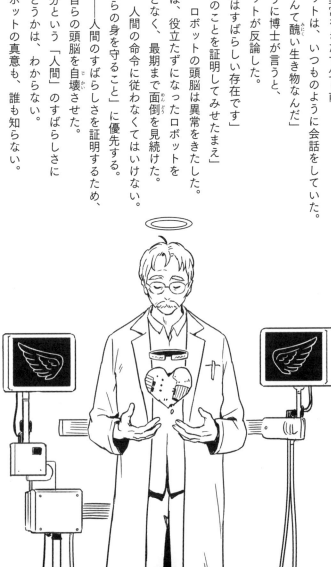

第21話

三途《さんず》の川辺《かわべ》にて

長い眠りから目を覚ますと、
男は、見慣《みな》れない川辺に立っていた。
「ここはどこだ。ええと、俺は……。そうだ！
たしか、運転していた車が、ガードレールを突《つ》き破《やぶ》って……」
そこまで考えをめぐらした時、
向こう岸に、知っている顔が見えた。
それは、年老いた父親だった。
川は、そんなには深くはなさそうに見える。
俺は、父親のいる岸に向かって、川を渡《わた》り始めた。
すると、父親が、必死に何かを叫《さけ》んでいる。
「……来ちゃいかん。こっちに来ちゃいかんぞ……」

男は、病室で、生死の境を彷徨《さまよ》っていた。
彼は、全国で強盗殺人《ごうとうさつじん》を繰《く》り返《かえ》し、
10人近い尊い命を奪《うば》った、指名手配中の凶悪犯《きょうあくはん》だった。
警察から逃走中、車の運転を誤《あやま》って、高い崖《がけ》から落下し、
今、意識不明の重体に陥《おちい》っている。
「この犯罪者を蘇生《そせい》させ、法廷《ほうてい》に引きずり出せ！」
世間では、この事件のことが連日報道されていた。
多くの人から憎まれる、この犯罪者のベッドの横には、
彼の父親が立っていた。そして、必死に祈《いの》っていた。
「ここで生《い》き永《なが》らえても、極刑は免《まぬが》れないだろう。
世間も、決してお前を許さない。苦しみが待つだけだ。
後のことは、父親のワシが引き受けるから、
帰って来てはいかん……。こっちに来てはいかんぞ……。
このまま三途《さんず》の川《かわ》の向こうへ行くんだ」
そして、泣きながら、眠る息子にすがりついた。
「親に、子どもの死を願わせるなんて、
お前は、なんて親不孝者《おやふこうもの》なんだ。あああああ……」

第22話 超《ちょう》リアルＣ《シー》Ｇ《ジー》

恐《おそ》ろしいモンスターと戦う、
異世界アクション映画が大ヒットしていた。
リアルで大《だい》迫力《はくりょく》の映像に、多くの観客が魅了《みりょう》されたのだ。
「ねぇ、あんなモンスターが、ほんとうにいるの?」
映画に登場するモンスターが実在すると思い、
本気で怖《こわ》がる子どもに、親が笑って教える。
「ああいう、リアルな映像を、ＣＧっていうんだよ。
しかし、本当にリアルだったな。
大人のパパが見ても、ちょっと怖かったよ。
映像技術の進歩もすごいもんだ……」

映画の大ヒットを受けて、
一躍《いちやく》有名になった監督は、続編の撮影を始めていた。
「君のおかげで、映画は大評判だよ！
今度は、もっとすごいヤツを頼むぞ！
同じデキじゃ、観客は満足しないからな」
監督に肩《かた》を叩《たた》かれたローブ姿《すがた》の男が
何やら呪文《じゅもん》を唱《とな》えると、足元の魔法陣《まほうじん》から、
恐ろしいモンスターが、姿を現し始めた。
「本物の魔術師に実物を召喚《しょうかん》してもらえば、
CGより手間も予算もかからないんだから、大助かりだよ」
笑う監督にローブの男は、
「我々、魔術師は、あまり大っぴらに魔法を使うと、
気味悪がられるどころか、インチキだと言われたり、
時代によっては、迫害《はくがい》されて殺されますからね。
結局、魔術なんて、こんなことにしか、
使い道がないんですよ。同じことをしてるだけなのに、
まったく人間なんて、気まぐれなもんだ」

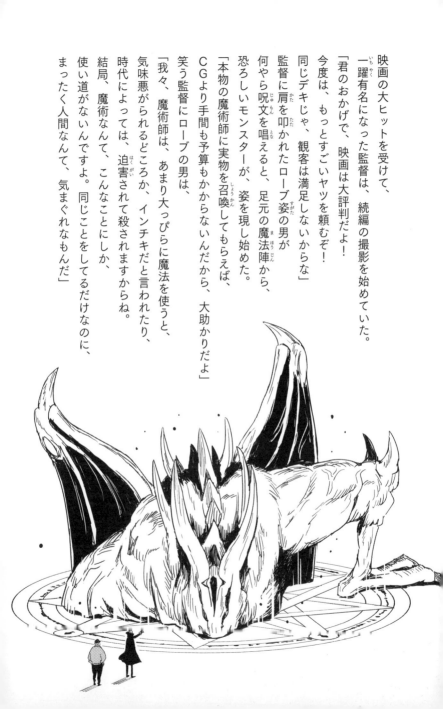

第23話
人魚姫

人魚姫は、難破《なんぱ》した船から投げ出された王子が溺《おぼ》れているのを助け、王子に恋心を抱いた。王子にふたたび会いたいと願った人魚姫は、尾びれを人間の足に変える薬をゆずってほしい、と魔女《まじょ》に頼《たの》んだ。

「そなたはこの薬で、人間の足を手に入れるが、その代償《だいしょう》に、大切な物を失うかもしれん。そうなれば、自分の声で王子に気持ちを伝えられなくなるぞ？それでも、よいのか？」

人魚姫はこくりとうなずき、魔女から薬を受け取った。人魚姫が砂浜に上がって薬を飲むと、尾ひれは、みるみるうちに人間の足へ変わった。

人魚姫は、人間の足を手に入れた。
そしてその代償として、
人間と同じであった上半身の姿《すがた》を失い、
腰《こし》から上は、魚の姿《すがた》になってしまった。
魔女が言う通り、
魚の姿になってしまった人魚姫は、
王子に恋心を伝える声も失ってしまった。

第24話

ケチ

映像がリアルで大迫力《だいはくりょく》と評判の、
異世界アクション映画を観た。
噂《うわさ》に違《たが》わぬ大傑作《だいけっさく》映画だった。
映像の迫力に、思わず叫《さけ》んでしまったりもしたが、
映画の大音量に紛《まぎ》れ、
周囲に迷惑《めいわく》をかけることもなかったと思う。
ただ、叫《さけ》び続《つづ》けたせいか、ノドがカラカラに乾《かわ》いた。
ふと見ると、一緒に映画を観ていた
隣《となり》の席の友人のジュースが余《あま》っている。
「そのジュース、一口もらっていい？」
すると友達は慌《あわ》ててカップを遠ざけた。
「ダメだよ！　絶対にダメ！」
友人も、叫び続けてノドが乾いているのだろうか？
でも、一口くらい、いいだろうに。本当にケチくさい男だ。

友人と一緒に、映像がリアルで大迫力と評判の、
異世界アクション映画を観に来ている。
――こんな映像、今までに観たことはない。
スクリーンから目を離すことも、
まばたきすることさえ惜《お》しかった。
しかし、映画がちょうどクライマックスの場面に
差しかかった時、強烈《きょうれつ》な尿意《にょうい》に襲《おそ》われた。
今、トイレに行ったら、大事なシーンを見逃してしまう。
それに、皆がスクリーンに集中している中、
立ち上がって、邪魔《じゃま》をする勇気もない。もう限界だ……。
あきらめかけたその時、
飲み切ったジュースの空のカップが目に入った。
隣《となり》の友人は食い入るようにスクリーンを観ている。
その瞬間《しゅんかん》、この危機を乗り越える、
とっておきのアイデアを思いついた――。
この映画の大音響で、多少の物音、
いや水音を立てても、誰にも気づかれないだろう。

第25話

ロールシャッハテスト

「まず、紙にこうやって絵の具をたらす。
そして、こう真ん中から2つに折《お》る。
で、開いた時の絵の具の模様《もよう》が何に見えるかで、
その人の性格を分析《ぶんせき》するんだ。
いやいや嘘《うそ》じゃないよ。
これで本当に、性格の相性もわかるんだ。
キミと僕の相性も、わかるはずだよ。
そう、ロールシャッハテストっていう、
れっきとした心理学のテストなんだ」
ソウタは、そう言って、
絵の具をたらした紙を開いた。

ソウタが開いた紙には、
キレイな赤いハートマークが描《か》かれていた。
「何これ？　手品？　告白？　付き合ってってってこと？」
「キミが、この模様《もよう》を見て、そう思うなら、
そうなんじゃない？」
「何それ。気持ち悪い……。
さっきの、ロールなんとかテストって話もウソ？
そんな回りくどい人、無理なんだけど」
マミは、ソウタの演出を、一刀両断《いっとうりょうだん》にした。
ソウタは、心の中で泣きながら思った。
――さすが、ロールシャッハテストだ。
きちんと、性格の不一致《ふいっち》をあぶり出してくれる。

第26話

美術室の怪《かい》談《だん》

その学校には、恐ろしい噂《うわさ》があった。

美術室に、ダ・ヴィンチの「モナリザ」のレプリカが飾《かざ》られているのだが、そのモナリザの表情が、たびたび変わる、というのだ。

ある日、美術室を掃《そう》除《じ》していた生徒が言った。

「今日のモナリザ、いつもと顔が違《ちが》わないか？

なんだか恨《うら》めしそうな目で、
こっちをにらんでいるような気がする。

絶対に、この前とは違う表情をしてるよ」

「やめろよ。いつもと同じだって。

変なこと言うから、気味が悪くなってきたよ」

生徒たちは、早々に掃《そう》除《じ》用《よう》具《ぐ》を片《かた》づけた。

ずっと誰かに見られているような、
たしかな気配を感じながら……。

掃除を終えた生徒が帰ると、
美術室の隣《となり》の準備室から、
じっと生徒たちの様子を見ていた美術教師が現れ、
深いため息を吐《つ》いた。
「はぁ、またダメだったか……。今回こそ、
ソックリに描《か》けたと思ったんだが……」
そう言って彼は、壁《かべ》のモナリザを見つめた。
「ダ・ヴィンチのような天才画家に近づきたくて、
模写《もしゃ》をしては、本物の複製画《ふくせいが》の代わりに飾《かざ》って、
生徒の反応を見ているけど、
いつも表情が違《ちが》うと言われてしまう。
この複雑な表情を再現するのは、至難《しなん》の業《わざ》だな。
それにしても、あと何枚描けば、
本物と見分けがつかないくらいのものが
描けるようになるんだろう……」

第27話
お酒を飲むと人がかわる

「君たちは、ミスなんて気にしなくていいんです。誰にでも失敗はあります。

それに、部下のミスの責任をとるために、我々管理職はいるんです。安心してください。必ずカバーはしますから、若いうちは、何も恐《おそ》れず頑張《がんば》りなさい」

タカダ課長は、新入社員に優しく微笑《ほほえ》んで言った。

そんなタカダ課長の姿《すがた》を見ながら、若手社員たちは、ヒソヒソ声で話した。

「いつもああなら、タカダ課長は、いい人なのに……」

「酒を飲むと人がかわっちまうんだからな。まったく残念だよ……」

「おい、なんだこのミスは。給料泥棒《きゅうりょうどろぼう》め！
こんなミスされたら、責任なんかとれねーぞ！
まったく使えない部下を持つと大変だよ」
タカダ課長は新入社員にネチネチと小言を言った。
目下《めした》の者には、誰に対しても、等しく陰険《いんけん》な態度で、
嫌味《いやみ》ったらしいタカダ課長の姿《すがた》を見ながら、
若手社員たちはヒソヒソ声で話した。
「昨日の飲み会の席では、
あんなに優しい上司だったのに……」
「酒が入っている時は、優しくて優秀な、
素晴《すば》らしい上司なのに、
アルコールが抜《ぬ》けると、これだよ……。
酒を飲みながら仕事をするわけには
いかないのかな？　まったく残念だよ……」

第28話

ハンドルを握《にぎ》ると人がかわる

いつもは、嫌味《いやみ》を言うことで生き生きとしているタカダ課長が、今日は沈《しず》んだ様子でおとなしい。

それを見た若手社員たちがヒソヒソ声で話していた。

「おい、いったい、タカダ課長はどうしたんだ?」

「なんでも今度、社長の車の運転を頼《たの》まれたそうだ」

「なるほど、そうか。タカダ課長、残念だな。

ハンドルを握《にぎ》ると人がかわるって言うからな」

「乱暴な運転をしたり、うっかり発言で

社長に失礼を働かないように、

今から気をもんでいるってわけさ。

ま、いくら悩《なや》んでも無駄《むだ》だと思うがね……」

その日、タカダ課長は細心《さいしん》の注意を払《はら》って、社長の車の運転をしていた。

青信号が、黄信号に変わる。

無理をせず、信号の前でやわらかくブレーキを踏《ふ》んだ時、社長が言った。

「なんで、今、急ブレーキを踏んだんだ？」

「急ブレーキ？　ゆっくりとブレーキを踏みましたが？」

「いや、急ブレーキだった。衝撃《しょうげき》で首を打ってしまった。私が怪我《けが》をしていたら、君に責任をとってもらうぞ」

ニヤリと笑う社長を見て、タカダ課長は絶望した。

これが、この社長のやり方なのだ。

辞《や》めさせたい社員がいると、自分の車を運転させ、難癖《なんくせ》をつけてクビにし、人員を入れ替えてしまう。

「社長の車のハンドルを握ると人がかわる」

社員たちは、そうささやき合って、社長を恐《おそ》れていた。

——それにしても、なんでこの私が、社長に目をつけられたんだ？　部下からも信頼の厚い、この私が……。

第29話

絶体絶命

もうずいぶん長いこと、森の中をさまよっている。

空腹で、体力も限界に近い。早く食べられるものを見つけなければ……。そんな焦《あせ》りと疲《つか》れが、警戒心《けいかいしん》を鈍《にぶ》らせたのだろうか。

気がつくと木々の間から、こちらを見つめる目があった。

——しまった。

相手は、恐《おそ》らくこの森で出会う、最も危険な動物だろう。

逃げ切れるだろうか。いや、この距離ではもう、一か八か立ち向かうしかない。


運がよかった——。

運よく、この危険な相手を倒《たお》すことができた。

私は、踏《ふ》みつけた足の下で暴《あば》れる相手を見下ろした。

運がよかった――。
運よく、この危険な相手を倒《たお》すことができた。
私は、踏《ふ》みつけた足の下で暴《あば》れる相手を見下ろした。

この森で出会う最も危険な動物である、人間。
猟銃《りょうじゅう》やワナを使う人間より危険な動物は、
この森にはいない。
しかし、この人間は、武器を持っていなかった。
キバという武器しか持っていない
オオカミである自分が生き延《の》びることができたのは、
本当に幸運としか言いようがない。
すばしっこいウサギを追いかけているうちに、
群《む》れからはぐれてしまった。
この人間で腹ごしらえをして、
早く群れの仲間の元に戻《もど》らなければ。

第30話

逆転の一手

遭難中《そうなんちゅう》、オオカミに襲《おそ》われ、
強い力で押さえつけられた老人は、
今にもかみ殺されようとしていた。
しかし、オオカミが大きな口を開けて、
老人に食いつこうとしたその瞬間《しゅんかん》――。
突然《とつぜん》、老人は体を起こし、
オオカミの口の中に、何かを投げ入れた。
オオカミは、まるで夢でも見ているように、
うつろな目を泳がせ、
やがて、バタリと倒《たお》れて息絶《いきた》えてしまった。
「ふぅ……。あの若者に食べさせた毒《どく》キノコを、
念のため持っていてよかったわい……」
老人はホッとため息をついた。

オオカミにかみ殺されそうになった老人は、
ポケットに隠《かく》し持《も》っていた毒《どく》キノコをかじって
一息に飲み込んだ。
生きたままオオカミに食い殺されるくらいなら、
幸せな幻覚《げんかく》を見ながら、
毒《どく》で死んだほうがマシだと思ったからだ。
しかし、飲み込んだ量が少なかったせいか、
老人の意識《いしき》は、幻覚《げんかく》と現実の狭間《はざま》で
もうろうとしていた。
オオカミが、大きな口を開けた時、
もう動く力もない老人は、
「オオカミの口にキノコを投げ入れ、
この場から助かる」
という夢を見ながら、悔《くや》しそうにつぶやいた。
「くそぅ。その手があったか……」

第31話
勇者《ゆうしゃ》ペルセウス

息子が、美術書を持ってきて、私に見せた。

「これ、すごくリアルだけど、どんな彫刻《ちょうこく》なの?」

見ると、それは、ギリシア神話の勇者《ゆうしゃ》ペルセウスが、メデゥーサの首を掲《かか》げている彫刻《ちょうこく》であった。

「これは、ギリシア神話のペルセウスだな。手に持っているのは、メデューサの首。メデューサは知っているか? 見た者を石に変える、髪《かみ》の毛《け》がヘビの怪物《かいぶつ》だよ。ペルセウスは、そのメデューサの首を落として退治《たいじ》したんだ。そして、そのメデューサの首で大海獣《だいかいじゅう》を石にして、生《い》け贄《にえ》にされていたアンドロメダ王女を助けたりもしたんだ。ギリシア神話の英雄さ」

それを聞いた息子は、沈《しず》んだ表情で言った。

「なんだ。ペルセウスにも、この彫刻にもがっかりだよ」

私は、息子の言葉の意味がわからなかった。

「話をちゃんと聞いてたか？

ペルセウスは、ギリシア神話の最大の英雄の1人で、星座にもなっているんだぞ」

息子は、逆《ぎゃく》に、私をさとすような口調で言った。

「いくら英雄でも、頭が悪くて、それが理由で死んだらどうしようもないんじゃない？

だって、この彫刻《ちょうこく》見てよ。ペルセウス、手に持っているメデゥーサをばっちり見てるよ。

だから、こうやって、石になっちゃったんだよね？

僕、この彫刻、リアルですごいと思ったんだけど、本物のペルセウスが石になっただけなら、リアルで当たり前だよね。

ペルセウスにも、この彫刻にも、ほんとがっかりだよ」

第32話
狩猟者《しゅりょうしゃ》たち

世界各国の軍事基地の上空に、突如《とつじょ》、宇宙船団《うちゅうせんだん》が現れ、
わずか数分の攻撃《こうげき》で、基地を壊滅状態《かいめつじょうたい》に追い込んだ。
同時に世界の大都市も破壊され、市民が犠牲《ぎせい》になった。
それは、「抵抗《ていこう》すれば、容赦《ようしゃ》なく殲滅《せんめつ》する」という
宇宙船団の意思表示にほかならず、
世界各国の意思は、「全面降伏《ぜんめんこうふく》」でまとまった。
そんなとき、宇宙船団から、各国に通信が入った。
「我々は、今お前たちが住む、この星には何の興味もない。
こんな薄汚《うすよご》れた環境《かんきょう》は、
我々が住むには、あまりにも不向きだ。
旅を続けるためのエネルギーを差し出せば、
これ以上の攻撃をするつもりはない」
世界各国は、要求されたエネルギー資源を提供した。
彼らが立ち去ってくれることに感謝しながら……。

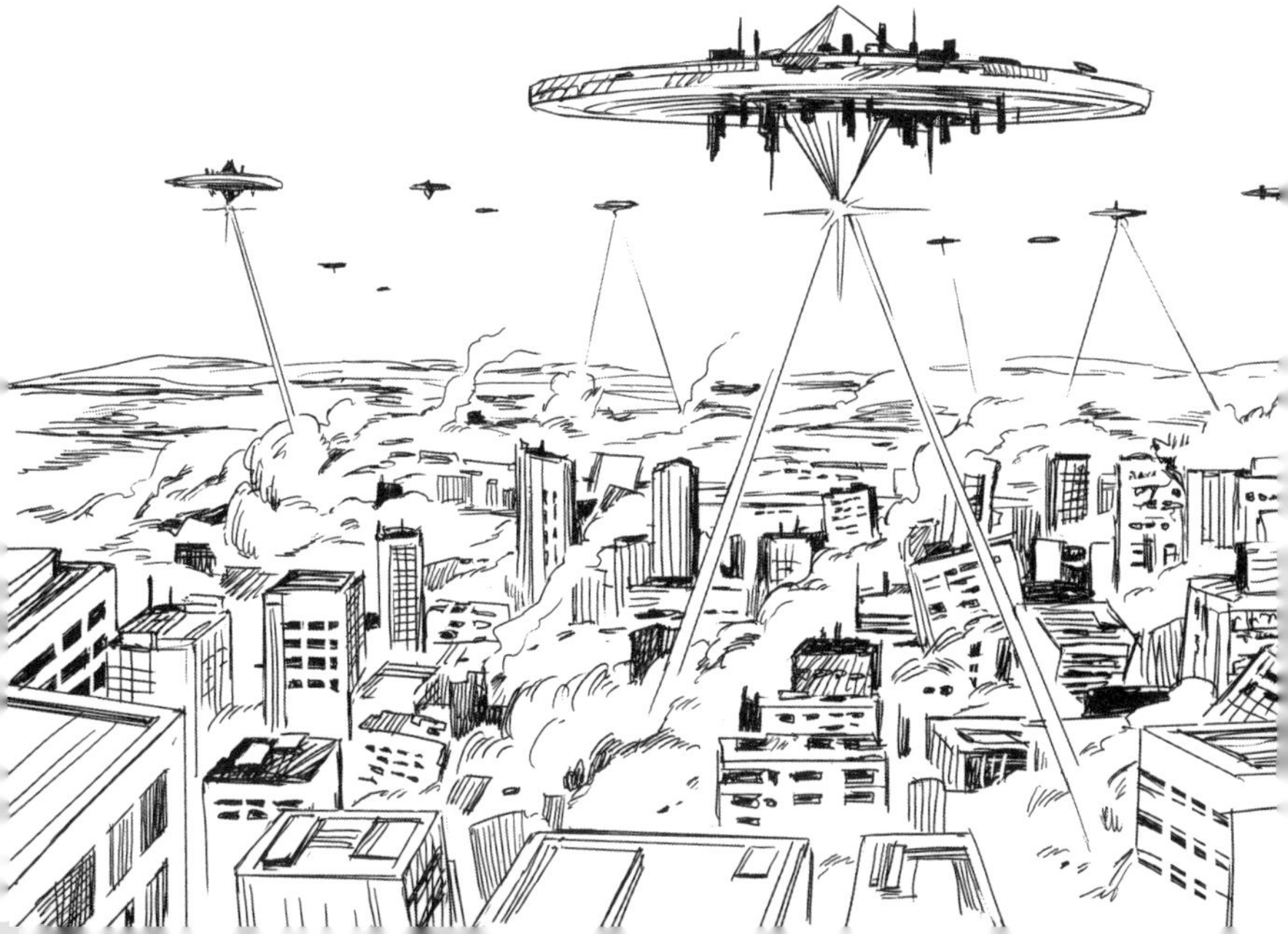

宇宙船は、エネルギー資源を積み込むと、
1機また1機と姿《すがた》を消していった。
約束通り、最初の攻撃以来、
地球に対しての攻撃はいっさいなかった。
最後、母船と思われる、超巨大な宇宙船だけが、
国連本部の上空に浮かんでいる。
とある国の大統領が、最後に交信を試みた。
「あなたがたは、何者なんですか？
そして、これからどこに向かうのですか？」
数分後、宇宙船から最後の通信が入った。
「我々は、宇宙の狩猟民族《しゅりょうみんぞく》とも言うべき存在だ。
その星のすべてを食《た》べ尽《つ》くしたら、また移動し、
新しい星をターゲットにする。
我々は、空間だけではなく時間も旅する。
今回の旅の目的地は、１００万年ほど前の、
この地球という惑星《わくせい》だ。そこで、ありとあらゆる
動物を食料にして食い尽くすつもりだ」

第33話

透《とう》明《めい》な社長

ある製薬会社の社長が、
科学者が開発している新薬のことを聞きつけた。
「透明人間《とうめいにんげん》になる薬を研究中と聞いたんだが、
その薬を譲《ゆず》ってはもらえないだろうか」
科学者は、社長に問いかけた。
「なぜあなたは、透明薬がほしいんですか？
あなた自身が透明人間になりたいんですか？」
「そう。私が使う。社員を監視《かんし》するためだよ。
うちの社員、私が見張ってないと、すぐにサボる。
ライバル社に勝てない理由は、そこにあるんだ」
科学者は怪訝《けげん》そうに首をかしげる。
「でも、社長が透明になってしまったら、
社員たちは社長がいても気づかずに、
サボり続けてしまうのでは？」

社長はニヤリと笑った。
「いやいや。むしろ逆だよ。
私が透明人間になれるということは、
社員には秘密《ひみつ》にしないで、周知徹底《しゅうちてってい》するつもりだ。
そうすれば社員たちは、
『いつ見られてるか分からない』と思って、
働くようになるはずだ。
悪口や陰口《かげぐち》もなくなって、
勤勉《きんべん》な会社になるぞ！」

第34話

直《じか》談《だん》判《ぱん》

とある製薬会社の専務《せんむ》が、社長室に入った。

社長室に社長の姿《すがた》はなかったが、社長のイスには、誰かが座っている跡《あと》がくっきりついている。

専務は空っぽのイスに向かって、話を始めた。

「社長。透明《とうめい》になって社員を見張るなんて、もうやめましょう！」

社長は、「透明薬」を手に入れたことを公言し、しばしば透明な姿で過ごしているのだ。

「社員は、『いつ見られてるか分からない』というストレスで、多くの者が体調不良を訴《うった》えています」

専務が懸命《けんめい》に訴《うった》えても、社長は無視し続けた。

「そんなに社員や部下のことを信用できない人間の元で、これ以上働くことはできません！」

専務は、そう怒鳴《どな》ると、社長室を出て行った。

真っ赤になって怒《おこ》っている専務の様子を、
社長は、部屋の外から、
扉《とびら》をそっと開けてニヤニヤ笑いながら眺《なが》めていた。
「……本当は、透明薬なんて存在しないのさ。
まぁ、あの科学者が透明薬を開発していたのは、
業界でも有名な話だし、私が大金を払ったのも
本当のことだから、信じてしまったんだろうな。
もっとも、その大金は、『透明薬を買っていない』
ということの、口止め料なんだがな」
社長は、透明薬など持っていなかった。
だが、「透明薬を手に入れた」と、
社員にウソをついた。
今は、たまたまトイレに行っていただけだ。
社長は1人、ほくそ笑んだ。
「きちんと仕事してさえいれば、
俺が見張っているとか、いないとか、関係ないのに」

第35話

透明薬《とうめいやく》の普及《ふきゅう》

製薬会社の社長が、昔のことを思い出していた。

「あの頃、『私は、透明薬を手に入れた。いつもお前たちを見ているぞ』なんて言って、社員たちを怖《こわ》がらせてたなぁ。

中には、会社を辞《や》めたり、反発する社員もいたが、あのウソのおかげで、社員たちは真面目に働き、経営もV字回復できた」

遠い過去に思いをはせて、社長は1人で笑った。

「ははは、懐《なつ》かしいもんだ。

今ではもう、透明人間ごっこなんて、する必要もなくなった」

なぜなら、もうこの会社には、自分以外、誰の姿《すがた》も見えないからだ。

「お前たち、姿《すがた》を見せないか!」

しかし、社長の呼びかけに答える者はいない。

社長が透明化してからしばらく経った頃、1人の取締役が、メールで連絡をしてきた。

「私も透明薬を入手しましたので、これからは、薬を服用して仕事をします」

それからは、雪崩《なだれ》を打《う》ったように、続々と透明化する社員が現れ、全社員が透明化した。

社長は、懸命《けんめい》に声を張り上げた。

「透明薬なんて、飲んでないんだろう?

だって、あれは　嘘なんだから。

いや違《ちが》う。透明薬を本当に飲んだんだよな?

だから、会社を辞めたんじゃなく、
皆、透明になってここにいるんだろ?

出てきてくれよ……。頼むから!」

第36話

怒《おこ》る女

「ねぇ、何をそんなに怒っているの?」

男が聞くと、女は言った。

「怒ってないわよ」

男は、その答えに納得できなかった。

「なんで、そんな嘘《うそ》をつくの?

だって、明らかに、怒ってるじゃん?」

「怒ってないから」

「いやいや、怒ってるし」

「私が、『怒ってない』って言ってるんだから、

怒ってないってことでしょ?」

「だって、君を見れば、一目瞭然《いちもくりょうぜん》だよ。

君の頭に、怒りマークが浮かんでいるのが、

ハッキリ見えるんだから……」

しつこい男に、とうとう女が怒鳴った。
「もう、うるさいわねっ！
これは、こういうデザインの髪《かみ》飾《かざ》りよっ！
見ればわかるでしょ！」
女の勢いに、男は身を縮めてつぶやいた。
「ちょっとした冗談《じょうだん》だろ。
そんな大声出すなよ。
っていうか、やっぱり怒ってるじゃん……」

第37話

抜け目のない要求

突然現れた魔神が、欲深く、猜疑心《さいぎしん》の強い男に言った。

「望みを一つだけ叶《かな》えてやろう」

魔神の提案には、必ず罠《わな》があることを知っていた男は、じっくり考えながら、望みを言った。

「金をくれ。現金で1兆円だ。小銭でなんて駄目《だめ》だぞ。『一生遊んで暮らせる』なんて言ったら、寿命が短くされるのがオチだ。紙幣《しへい》の番号も、すべてバラバラ。この国で、合法的に使える本物の紙幣で1兆円だ。札束で俺を押しつぶすなよ。それと……」

男は、その後も、細かく具体的な条件を伝えた。

これだけ条件を付ければ、罠《わな》にかける余地《よち》はない。

「まったく、用心深い男だな」

魔神は、呆《あき》れながら男の望みを叶《かな》えた。

男は望み通り、1兆円を手に入れた。
しかしその後、世界中で、急激なインフレが起きた。
ものの値段がすべて、1億倍に跳《は》ねあがったのだ。
これでは、1兆円あっても、雀《すずめ》の涙《なみだ》だ。
混乱する世界を眺《なが》めて魔神は笑った。
「今回は特別に、世界中の人間の願いを叶《かな》えてやったのに、
ほとんどの人間が、金を要求してきたな。
願いを叶えてもらえるのは、自分1人だと思ったんだろう。
世の中に金が増えすぎると、
インフレ——物価上昇が起こるなんてわかるだろうに。
皆が、世界が幸せになる願いごとをすれば、
この世は、どんなにか素晴らしくなっただろうに、
どんなに賢くなっても人間は、
自分のことしか考えない生き物だな。
まあ、こんな結果ばかりだと、
人間たちに逆《さか》恨《うら》みされかねないから、
今度は事前にマーケティングでもするか」

第38話

雪解《ゆきど》け

窓の外の雪景色を見て、
少女はため息をついた。
「お母さん。いつになったら、
みんなに会える？　私、早く会いたいよ」
「春が来れば、すぐ会えるわよ」
「そっか！　雪解《ゆきど》けが待ち遠しいね、
お母さん！」
母親は少女をやさしく抱《だ》きしめて、
窓の外を見つめた。

窓の外の雪景色を見て、
白髪《しらが》まじりの老女がため息をついた。
「お母さん。いつになったら、
みんなに会えるのかな？　私、早く会いたいよ」
何十回と季節はめぐり、たくさんの春が通り過ぎたが、
その国には、まだ「雪解け」は来なかった。
50年以上前のある日、
彼女の国で突然内乱がはじまり、
国が2つに分断された。
その境界線上にあった彼女の村も
その日から分断され、往来ができなくなってしまった。
仕事で国境の向こう側に行っていた
父や兄たちの安否《あんぴ》はわからない。
「雪解けはいつ訪《おとず》れるのかな、お母さん」
かつて少女だった彼女は、
母親の遺影《いえい》を抱きしめて、窓の外の雪を見つめた。

第39話
丁稚奉公《でっちぼうこう》

江戸時代。ある少年が、丁稚奉公《でっちぼうこう》に耐《た》えられなくなり、月も出ていない夜に、雇《やと》われ先の商家から逃げ出した。

丁稚奉公とは、商家に住み込みで働くことである。

商家から逃げ出した少年は、夜道を走った。

そして、草履《ぞうり》の鼻緒《はなお》が切れて転んだ少年が、
その草履を直そうとしたとき、
鼻緒の裏地《うらじ》に「がんばれ」という母の言葉が
縫《ぬ》い取《と》りされていたことに気づいた。

母の言葉を胸《むね》に、少年は泣きながら商家に戻《もど》った。

という感動的な小説の一場面を読んだ息子が、

「これ、おかしいよ。この子、字なんて読めないよね?」

とニヤニヤしながら言ってきた。

私はきつい調子で言って聞かせた。
「江戸時代の識《しき》字《じ》率《りつ》は高かったんだ。
お金がなくたって、
がんばって勉強したってことだ」
すると、それまでゴロゴロしていた息子が、
急に立ち上がって、
いきなり部屋の電気を消した。

江戸時代は、
街灯《がいとう》もないから、
月明かりがなければ
こんなふうに
真っ暗なはずだよ。
字なんて、
読めっこないよ。

第40話

人生を変えた拳《こぶし》

心がすさみ、毎日、ケンカに明《あ》け暮《く》れていた俺に
夢を見させてくれたのは、
今、トレーナーになってくれている、
「オッチャン」だった。
オッチャンは、ケンカをしていた俺に言った。
「お前、今楽しいか？　お前なら、ボクサーになって
パンチ1つで、人生を変えることができるはずだ」
それから、俺とオッチャンの
二人三脚《ににんさんきゃく》のトレーニングがはじまった。
俺は、ボクサーとして華々《はなばな》しい戦績を重ね、
ついに、世界タイトル戦にまでこぎつけた。
そして俺は、パンチ1つで、人生を変えた――。

タイトル戦に勝利した数日後、
俺は、とある店で、1人で祝杯《しゅくはい》をあげていた。
そこへ、数人の酔《よ》っ払《ぱら》いがからんできた。
「おうおう、世界戦で勝ったからって、
トレーニングをさぼって、いい気なもんだな」
そんな野次《やじ》や、悪口には、慣《な》れっこだ。
いつも通り、無視してやり過ごせばいい。
しかし、その次に言われた言葉。
それだけは、許すことができなかった。
「お前の、あのトレーナー、あいつはダニだな。
たいした能力もないくせに、お前にたかって
生き血を吸っているんだろ？　あいつと一緒にいても、
タイトルなんて、防衛《ぼうえい》できっこねぇ。クビにしちまえ」
気がつくと、俺は、酔《よ》っ払《ぱら》いに拳《こぶし》を叩《たた》き込《こ》んでいた。
俺は、駆《か》けつけた警察官につかまった。
俺は、パンチ1つで、人生を変えた――。

第41話

これは、「恋」ってかんじ？

わたしは、美人でもないし、頭もよくないし、クラスでも、全然目立たない。

そんなわたしが、同じクラスの男子で、学校一の人気者・龍我《りゅうが》くんに恋をしてしまった。

いや、これが恋かどうかもわからない。

ただ、龍我くんを見ているだけで、心臓《しんぞう》がドキドキしてしまうのだ。

こんな経験ははじめてのことで、わたしは、どうすればよいかわからなかった。

この気持ちを、どう伝えればいいんだろう？

わたしは、まず、願いが成就《じょうじゅ》すると評判の神社に願かけに行くことにした。

翌朝、学校に登校すると、教室がなんだかざわざわしていた。

ざわざわするクラスメイトの視線の先にいたのは、
龍我《りゅうが》くんだった。
なぜ、教室がざわついていたのか、
その理由はすぐにわかった。
龍我くんは、冬だというのに、
海水パンツに水泳帽《すいえいぼう》という姿《すがた》で席に座っていたのだ。
さっそく先生に怒《おこ》られ、変な理屈《りくつ》をこねていたが、
しぶしぶと制服に着替えた。
その後も、龍我くんの奇妙《きみょう》な振《ふ》る舞《ま》いは続いた。
授業中に指され、突拍子《とっぴょうし》もない答えを言ったり、
変顔《へんがお》で皆を笑《わら》わせようとしたり……。
でも、私が好きになったのは、
そんな「変人」みたいな龍我くんではない。
だんだんと、龍我くんにときめかなくなった。
――あぁ、こういうふうに熱が上がって冷めるのが、
「恋」ってかんじなのかな。

第42話
副作用

サトシの祖父は科学者で、透明薬を研究していた。
かつて、その透明薬を、とある製薬会社の社長が買ったという噂《うわさ》が立ち、世間を騒《さわ》がせたこともあるそうだ。
ある日、祖父がサトシに言った。
「かつての透明薬の噂《うわさ》は嘘《うそ》だが、
今回、私は本当に透明薬の開発に成功した。
しかし、この薬には副作用があったんだ」
祖父は薬のビンを掲《かか》げて、サトシに語り続けた。
「この薬を飲むと、周囲の人間の頭の中の、
飲んだ者に関する『記憶』が薄《うす》れていってしまうんだ。
おまけに、声や姿《すがた》も、認知《にんち》されなくなってしまう。
つまり、解毒剤《げどくざい》で、透明化を解除《かいじょ》しても、
元の姿《すがた》に戻《もど》った後、姿《すがた》は見えても、
透明人間と同じようなモノになってしまうんだ」

「おい、聞いているのか、サトシ！」
祖父は、必死になってサトシに訴《うった》えかけた。
だが、サトシは祖父を見ようともしない。
祖父がいるのにも気づかない様子だ。
「じいちゃんはどこに行ったんだろう。
……あれ？　じいちゃんって、どんな人だったっけ。
っていうか、何でこんな場所に来たんだっけ？」
祖父の姿《すがた》は透明《とうめい》と同じ。
祖父の声も透明と同じ。
祖父に関する記憶さえも、
しだいに透明になっていった。

第43話

読心薬

僕は、ずっと1人の女性に恋をしている。

けれど、奥手《おくて》で臆病《おくびょう》な僕は、いまだに告白できずにいる。

相手の女性も、好意を抱《いだ》いてくれている気はするのだが、確信はもてない。うかつに告白して失敗し、今の関係まで壊《こわ》れてしまうのが、いちばん怖《こわ》い。

僕は、伯父《おじ》に、「心を読む薬」を開発してもらった。

伯父は、変な薬ばかりを開発している科学者なのだ。

伯父は、僕をさげすむような目で見て言った。

「かわいい甥《おい》っ子《こ》の頼みだから、今回だけは聞いてやる。

だけど、伯父として忠告する。科学の力に頼りすぎるな。

人間の心の問題に、科学とか薬とかを利用すれば、いつか、手痛《ていた》いしっぺ返しを食うことになるぞ」

それでも、僕は「読心薬」を使い、恋は成就《じょうじゅ》した。

そのことを後悔《こうかい》したことは、いちどもない。

20年後――。リビングで、くつろいでいると、キッチンで妻《つま》と娘《むすめ》が話す声が聞こえてきた。

「ねぇ、ママ。ママとパパが付き合うときって、どっちが告白したの？」

「もちろんパパよ」

「どうしてママは、OKしたの？　パパって、不器用で、告白もうまくできなさそうだけど？」

妻が、微笑《ほほえ》んでいるであろうことは、後《うし》ろ姿《すがた》からもわかる。

「告白自体は、たどたどしくて、何を言っているかよくわからなかったわ。でも、なぜか、パパがママのことを好きだって気持ちがすごく伝わってきたの。パパの心が読めたみたいに」

僕は、伯父《おじ》からもらった「読心薬」を、自分では飲まなかった。その代わり、こっそり彼女に飲ませた。僕が彼女のことをどれだけ愛しているかを、言葉以上に、きちんと伝えたいと思ったから――。

第44話

オノマトペ妻

妻が、オノマトペ症候群《しょうこうぐん》という奇妙《きみょう》な病気にかかった。
「オノマトペ」というのは、擬音語《ぎおんご》のことで、
妻は、何をしていても、自分の行動に合った擬音《ぎおん》を
声に出してしまうようになったのだ。
歩く時は「テクテク」、見回すときは「キョロキョロ」、
寝ている時さえ「スヤスヤ」と寝言で言う。
しかも、擬音以外の言葉を話すことができない。
とても珍《めずら》しい病気で、治せる薬も医者も存在しない。
手を尽《つ》くしても一向《いっこう》によくならない病状にイラ立ち、
私はだんだんと妻に冷たくなり、
暴力も振《ふ》るうようになってしまった。
妻は、「シクシク」と言いながら、毎日泣いた。
それでも私の暴力は続いた。
ある日、妻は「スクッ」と言って立ち上がった。

「テクテク……ガチャ。スッ……テクテク……」

「おい、そんなもの持って来て、何をする気だ？」

「ダッダッダ。ブルンブルン」

「やめろ、危《あぶ》ないだろ！　そんなもの振《ふ》り回《まわ》すな！」

「グサッ！」

「痛《いた》いっ！」

「グサッ！　グサッ！」

「うっ！」

「ズバッ！　グチャッ！　グリグリ……」

「や、やめてくれ……」

「グサッ！　グサッ！　グサッ！　ケラケラケラケラケラ」

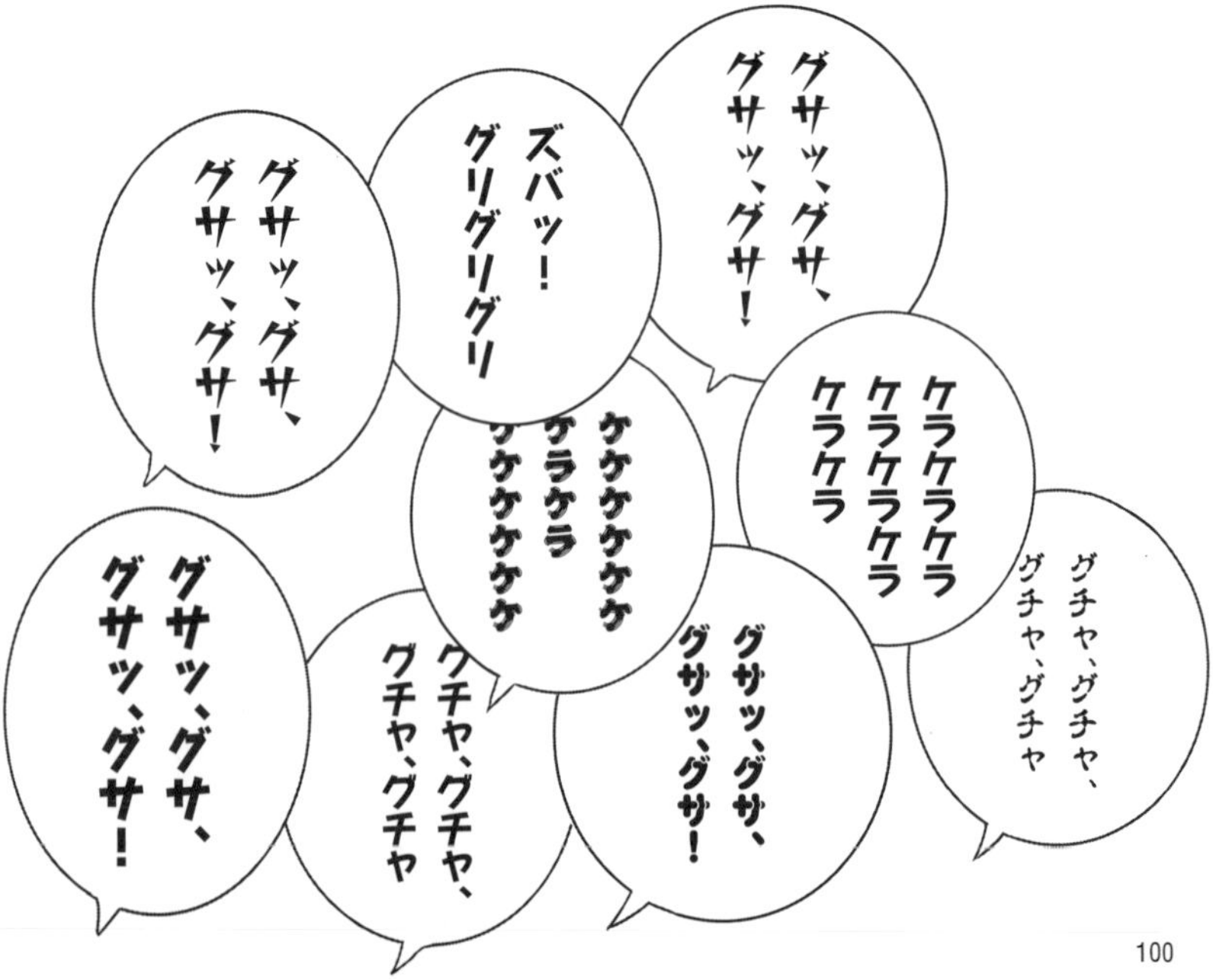

第45話
10年後

テストで高得点をとるコツは何か？
それは、用意周到《よういしゅうとう》に勉強をすることではない。
そのテスト問題自体を、自分で作ることである——。
失敗し、逮捕《たいほ》される泥棒《どろぼう》の多くが、その点を間違《まちが》えている。
私の表向きの職業は、建築士。
設計から施工《せこう》までを行っている。
私の「盗《ぬす》み」は、この建築からはじまっている。
すなわち、建物をつくるときに、その建物の中に
秘密《ひみつ》の通路を作り、身を隠《かく》す空間を作っておく。
今日も10年前に作った建物に、警備員《けいびいん》を装《よそお》い入り込み、
宝石を盗《ぬす》んで、秘密の通路へと逃げおおせた。
「また、怪盗Zのしわざか！」
警察をあざわらうような見事な手口に、
捜査三課の刑事たちは、地団駄《じだんだ》を踏《ふ》んで悔《くや》しがった。

老朽化《ろうきゅうか》したビルが、取《と》り壊《こわ》されることになった。

解体作業中、作業員が、不思議《ふしぎ》そうにつぶやいた。

「このフロアだけ、なんか構造が変だな。上層階《じょうそうかい》との間に、細い通路のようなものが存在しているぞ」

そして、しばらく作業を続け、悲鳴を上げた。

「この通路みたいなところに、ミイラ化した死体がある！」

なぜ、そのようなところにミイラがあったのか、ビルの管理者にも、フロアを賃貸《ちんたい》していた宝石店も、わからなかった。

10年前に宝石店で起きた盗難事件《とうなんじけん》や、その事件以来、忽然《こつぜん》と姿《すがた》を消した「怪盗Z」と結びつける人間も、誰もいなかった。

10年前、身を隠《かく》した秘密の通路に身体が挟《はさ》まり身動きがとれなくなった怪盗Zは、空腹とノドの乾《かわ》きで意識を失う直前、こんなことを考えていた。

「10年間で、こんなに太るなんて、計算していなかった」

第46話

人として

とある会社の営業部――。
部長が、２人の若手社員をデスクに呼んで、
あきれたような声で言った。
「またケンカしたそうじゃないか。君たち２人、
それぞれは優秀なのに、なんで衝突《しょうとつ》ばかりしてるんだ？
競争心が強すぎて、相乗効果《そうじょうこうか》も生まれてないだろ。
お互《たが》い協力しあえば、
もっと大きな仕事ができるんじゃないのかね？」
しかし、２人とも、ふてくされたように黙《だま》っている。
「こんなたとえは、説教臭《せっきょうくさ》くて使いたくないんだが……。
『人』という漢字を見たまえ。
２本の棒《ぼう》が支え合っているだろう。
君たち２人、お互い支え合わない限り、
君たちは、１人前のビジネスマンとは言えんぞ」

部長の言葉を聞いた若手社員のうち、
長身の社員が、感情をむき出しにして言った。
「部長！　部長は、本当に
『人』という漢字を見たことがあるんですか？
『人』という漢字は、支え合ってなんかいませんよね。
一方の棒《ぼう》が、一方の棒にもたれてますよ！」
それを聞いた、背の低いほうの社員が返す。
「おいおい、部長に対して、失礼だろ？
それにしても、さすが部長はわかってらっしゃる。
『人』という漢字の長いほうの棒がコイツ、
短いほうの棒が私ということですよね？
短い棒が、長い棒を支える。嫌《いや》な宿命《しゅくめい》ですね」
長身社員が、負けじと言い返す。
「この棒の長さが身長なんて、誰が決めた。
これは営業成績の棒グラフの長さだろ。
グラフが短い奴は、後方支援だけしてればいい！」
部長は、ため息を吐《つ》き、そっと席を立った。

第47話

殺し屋

私は、善良《ぜんりょう》な市民。
どこにでもいる普通のサラリーマンだ。
同じように、一般的な市民である妻《つま》と結婚し、
穏《おだ》やかな家庭を築《きず》いている。
しかし、そんな私の趣味《しゅみ》は、「殺し屋」である。
連絡先も、正体も明かしていないにもかかわらず、
私の元には、匿名《とくめい》の依頼が次々と舞《ま》い込《こ》んでくる。
ターゲットは皆、悪人ばかり。
社会に害をなす者たちを消していく「殺し屋」は、
気持ちがよく、やりがいのある趣味だった。
それは「世直し」でもあるからだ。
そして今日もまた、私のもとに依頼が届《とど》く。

今回の依頼者のターゲットは、この「私」だった。
「殺し屋としての私」ではなく、
「善良《ぜんりょう》な市民としての私」である。
——どこにでもいる善良な市民である私。
その私を殺してほしいと依頼する人間が、
この世の中にいる。
いったい私は、どこで、誰を、
傷《きず》つけてしまったのだろう。
そして、気がついた。
そもそも、私が殺してきた者たちは、
本当に悪人だったのだろうか？

第48話

その名を語ることのできない職業

俺が仕事のときにグレーのスーツを着るのは、身も心もコンクリートに溶《と》け込《こ》むためだ。そして、全神経《ぜんしんけい》を集中し、スコープをのぞき込《こ》む。ターゲットに狙《ねら》いをつけて、もう何時間が経ったただろう。

その集中力があだとなった。

気がついたときには、10人以上の警察官《けいさつかん》に周囲《しゅうい》を囲《かこ》まれていた。

さすがの俺も、無駄《むだ》な抵抗《ていこう》はやめた。

俺が本気を出せば、この程度の人数なら、包囲《ほうい》を突破《とっぱ》することができるかもしれない。

しかし、俺はプロだ。

ターゲット以外の人間を殺《あや》めることをしない、と心に決めている。

この警察官たちは、運がよかった——。

屋上に寝転《ねころ》がって、ライフル——などではなく、
見るからにオモチャとわかる物体を構えた男が、
小さな声でブツブツとつぶやいている。
よく聞き取れなかったが、「プロ」だとか、
「この警官たちは、運がよかった」などと言っている。
「屋上に殺し屋みたいな男がいる」という通報を受けて、
大勢で出動してみた結果、
屋上に、この男が寝転がっているのを発見した。
我々には、寝転がっているようにしか見えないが、
この男自身は、「殺し屋」にでもなったつもりなのだろう。
オモチャのライフルに取りつけた、
スコープに見せかけた望遠鏡《ぼうえんきょう》。
そのレンズの先には、若い女性が暮《く》らすマンションの一室。
そんな小芝居《こしばい》をしなければ、自分自身の羞恥心《しゅうちしん》に
耐《た》えられないのならば、なぜこの男は、
「のぞき」などという、卑劣《ひれつ》な犯罪をするのだろう。
その後も黙秘《もくひ》を貫《つらぬ》いた男から、動機が語られることはなかった。

第49話

ごめんなさい

僕の幼《おさな》なじみの彼女は、超人気アイドルだ。
彼女がアイドルになった後も、ずっと応援《おうえん》している。
「いつか結婚しようね」
子どもの頃の淡《あわ》い誓《ちか》いだけが、
お互《たが》いに、忙《いそが》しい日々の支えになっていた。
会える時間は、今ではほんの数分だけ。
クタクタになって帰って来た彼女を
マンションで出迎《でむか》える。
疲《つか》れた顔をしていた彼女の顔が
パッと輝《かがや》く、この瞬間《しゅんかん》が好きだ。
「ごめんなさい」
彼女はいつも申し訳なさそうに謝る。
「忘れたの？　僕は、君のファン第1号だよ。
これからもずっと応援するから、気にしないで」

毎日毎日、大好きなアイドルのお仕事で飛び回る日々。
仕事がないときも、歌やダンスのレッスンが続く。
すごく充実している毎日！
たくさんのファンの笑顔のために、
今日もお仕事頑張《がんば》りました！
クタクタになってマンションに帰ると、
ドアの前に、いつもの彼がまた立っている。
何で？　何で？
引《ひ》っ越《こ》しても引っ越しても引っ越しても
引っ越しても引っ越しても引っ越しても
着いてくるあなた。本当に誰なの？
「忘れたの？　僕は、君のファン第1号だよ」
ごめんなさい。知らないんです。
ごめんなさい。これ以上関わらないで。
ごめんなさい。もう家まで来ないで。
ごめんなさい。ごめんなさい。ごめんなさい。

第50話

美味《おい》しい料理、温かな食卓

小食の僕が、超大食の彼女に恋をした。

職場の歓送迎会《かんそうげいかい》の席で、彼女が次から次へと食べ放題のパーティ料理を口に運ぶ様子を目にした時、僕は彼女に目を奪《うば》われ、そして、一目ボレしたのだ。

こんなに、美味《おい》しそうに食事をする女性がいるなんて！

子どもの頃の家庭に、いい思い出がなく、食事を「楽しいものだ」と思えない小食の僕には、その姿《すがた》は、衝撃的《しょうげきてき》だった。

そして僕は、彼女に告白し、僕の恋は成就《じょうじゅ》した。

自分が食べることには、あまり興味のない僕だったが、ほかの人に食事を作ることは、楽しみでもあった。

僕らのデートは、たいてい僕が自宅に彼女を招待し、美味しいご馳走《ちそう》をふるまう、というものだった。

僕は、作りたての料理をふるまうため、彼女が食事をしている間も、厨房《ちゅうぼう》に立つようになった。

「次から次へと作りたての料理が出てくるなんて、高級レストランで、コース料理を食べているみたい。それに、どの料理も美味しい！　もうプロ級の腕前《うでまえ》だね」

とても幸せそうに、彼女が僕の料理を食べてくれる。その様子を見ているだけで、僕も幸せだ。

しかし、それから何日か後。その日は、彼女の様子が違った。とっておきのフルコースを作っているのに、彼女の食事が全然進まないのだ。

とまどう僕に、彼女が優しく、でも寂《さみ》しそうに言った。

「わたし、美味しいお店に来るつもりでここに来ているんじゃないよ。それに、美味しいものが食べられるから、あなたと一緒にいるワケでもない。美味しい料理があっても、そのテーブルにあなたがいて、あなたと会話できなければ、何の意味もないの。美味しい料理じゃなく、温かい食卓を2人で作ろう」

第51話
DV

久しぶりに会った大学時代の親友の顔を見て驚《おどろ》いた。
彼女の顔にはいくつかのアザがあり、
長袖《ながそで》で隠《かく》した腕《うで》にも、痛々《いたいた》しい傷が見える。
彼女は、夫による暴力を、涙《なみだ》ながらに告白した。
新婚当初《しんこんとうしょ》は優しかった夫が、お腹《なか》を蹴《け》ったり、
顔を殴《なぐ》ったりなど、ひどい暴力を振《ふ》るうのだという。
私は、すぐに、知り合いの離婚専門弁護士《りこんせんもんべんごし》を紹介した。
「でも、彼、たまにとっても優しいときもあるの……」
私は心配になった。それは、DV男と別れられない
女性が陥《おちい》る心理であると聞いたことがあったからだ。
それから数ヵ月後、久しぶりに会った彼女の顔は、
だいぶ明るさを取《と》り戻《もど》していた。
しかし、最近の様子を聞くと、彼女は驚《おどろ》くべきことを言った。

「昨日、お腹《なか》を蹴《け》られたの」と明るく言う彼女に、
私は、驚《おどろ》きと落胆《らくたん》を隠《かく》しきれなかった。
――もう、暴力を振るわれることが、「愛情表現」だと
勘違《かんちが》いするようになってしまったのだろう。
こういう心理状態になったら、
もう別れるのは難しいのかもしれない……。
私のそんな表情を見て、親友は、あわてて言った。
「ごめんごめん。誤解《ごかい》させちゃったね？
夫とは、あのあと、別れることができたよ。
昨日、私のお腹を蹴《け》ったのは、この子よ」
そう言って、慈《いつく》しむように、自分のお腹をなでる。
「私、この子を授かって、あの人と別れる決心をしたの。
だって、この子に暴力を振るうことなんて、
絶対に許せないから」

第52話

意地っ張りな父娘

深刻《しんこく》な病気にかかり、医者からも、
「もう長くはない」と言われている男がいた。
男には、大ゲンカの末に、家を出て行った一人娘がいて、
お互いに意地を張り合ったまま、
2人は、10年以上も顔を合わせていなかった。
すでに妻を亡《な》くし、1人きりになっていた男が、
「最後に、一目だけでも会いに来てほしい」と手紙を送ると、
娘から男に、返信の手紙が届《とど》いた。
手紙を読んだ男は、深いため息をつき、涙《なみだ》をこぼした。
「会いに来てくれないのか……。強情なヤツだ。
いったい誰に似《に》てしまったんだか……」

数ヵ月後――。とある喫茶店《きっさてん》に、
奇跡的《きせきてき》に病気から回復した男の姿《すがた》があった。
一緒《いっしょ》にお茶を飲んでいる相手は、彼の娘だった。
「あの時、素直に会いに来てくれていたら、
俺は思い残すこともなくなって、死んでいただろうな」
まだ病気が完全に回復していないのか、
男は弱々しく笑いながら言った。
「でも、『会いたいのなら、お父さんのほうから
謝《あやま》りに来ればいいじゃない』なんて手紙を
送って来るから、俺も意地になって、
『お前に会いに行くまでは』と踏《ふ》ん張《ば》ることができた。
ありがとう。それと、あの時は、すまなかったな」
「別に……。『再会』が、親の死に目だなんていうのが、
嫌《いや》だっただけよ」
そう、きつい口調で言う娘の目には、
うっすらと、涙がにじんでいた。

第53話

リモート面接

パソコンの画面に、
面接官と就職希望者の顔が映っている。
スーツを着た若い女性と、
白髪《しらが》まじりの中年の男性だ。
「志望動機を教えてください」
「性別、年齢《ねんれい》に関係なく活躍《かつやく》の場がある、
御社の社風と環境に魅力《みりょく》を感じました」
「学生時代に力を入れたことを、教えてください」
就職希望者が言葉を選びながら、その質問に答える。
「私は、テニスサークルに所属していました。
あまり自慢《じまん》にもならないかもしれませんが、
サークル内の女子には、負けたことがありません」
そう言って就職希望者は、照れたような表情をした。

面接官が、無表情のまま、吐《は》き捨《す》てるように言った。
「本当に自慢にもなりませんね」
そして面接官が、不機嫌《ふきげん》さを隠《かく》すこともなく、
厳《きび》しい口調で続ける。
「最近はすぐに退職してしまう人が多いんですよ。
若い人など半年で辞《や》めてしまったり。
この仕事を続ける意志はありますか？」
「根気の強さだけなら、誰にも負けません」
「根気ねぇ。それが武器になりますか？
まぁいいでしょう。最後に、自己ＰＲをどうぞ」
「私の豊富な人生経験を、
必ず御社のために役立ててみせます」
就職希望者である中年の男性は、
面接官の若い女性に、深々と頭を下げた。

第54話

半《はん》透《とう》明《めい》化《か》

世界中の大都市で、人間の半《はん》透《とう》明《めい》化《か》がはじまった。
その人の体ごしに、向こう側の風景が、
うすく透《す》けて見えるのだ。
もちろん、全員がそうなってしまったわけではない。
特に、若く、活動的で、おしゃれに敏《びん》感《かん》な人たちが、
半透明化しているように思われた。
高齢者《こうれいしゃ》は、あまり透けていない。
赤ん坊の中にも、半透明化しはじめている者もいた。
その後も、半透明な人々は世界中で増えていったが、
誰も、その理由を解明することはできなかった。

あるとき、１００歳を超えているだろう、
老婆《ろうば》がぽつりと言った。
「半透明になっておる者たちは、
魂《たましい》がうばわれかけていることに、
まだ気づかないんかのう」
その言葉を聞いた、曾孫《ひまご》が老婆に聞いた。
「大おばあちゃん、何か知っているの？」
老婆は、昔を懐《なつ》かしむような表情で、
ゆっくりと話しはじめた。
「昔、写真機が発明された頃《ころ》は、
『写真に撮《と》られると、魂《たましい》が抜き取られる』
なんて言われたらしいのさ。
その後、そんなこと、誰も信じんようになったけど、
やっぱり、あれは本当だったんじゃな。
こんなに皆が、携帯で写真を撮ったら、
魂もなくなるだろうさ」

第55話

登場人物

今、私がいるのは、夢の中だ――。
どうやら私は、本を読んでいる途中《とちゅう》、
そのまま寝てしまったらしい。
どうして、それが分かるかと言うと、
今、私が置かれている状況が、
読んでいた本に出てきた登場人物が置かれた状況と、
まったく同じだったからだ。
これほどはっきりとした夢を見たのは初めてだったが、
本を読んで結末を知っているこの夢は退屈《たいくつ》だ。
それに、私自身、登場人物と同じ行動をとることに、
やや抵抗《ていこう》があった。
私は、本で読んだのとは違《ちが》う行動を、
登場人物にとらせようとした。
しかし、その瞬間《しゅんかん》、強い強迫観念《きょうはくかんねん》が心に生じた。

心に強い強迫観念《きょうはくかんねん》が生じ、不安になってきた。

何かに監視《かんし》されているような気がして、そっと空を見上げてみる。空には、期待に満ちた眼差《まなざ》しでこちらを見る、2つの目があった。

私の「意外なセリフや行動」を待っているのだろう。

――あぁ、やっぱりダメだ。私が寝る前に読んでいたこの本、『5秒後に意外な結末』の中では、登場人物は、「意外な結末」につながるような発言や行動しか期待されてないし、許されないんだ。

そういう、「期待された務め」をきちんと果たした、「願いを叶《かな》える魔神」や「父親に生意気なことを言う少年」みたいな登場人物じゃないと、レギュラーメンバーにはなれないのだろう。

私はあきらめて、「ストーカーにつけ回されるアイドル」の役割をきっちりと果たすことにした。

「もう家まで来ないで。ごめんなさい。ごめんなさい」

第56話
豪華《ごうか》なミステリードラマ

「孤島《ことう》で起こる連続殺人事件」をテーマにした、
そのミステリードラマが、歴代最高視聴率を記録したのは、
何人かの超人気俳優《はいゆう》が出演しているから、
というだけの理由ではなかった。
ふつうならば、探偵《たんてい》や犯人、最後まで残る容疑者《ようぎしゃ》など、
重要な役柄《やくがら》をあてがわれる人気俳優たちが、
あっけなく被害者として舞台から退場してしまう。
そのため、キャスティングから物語を推理できない。
純粋に「意外性と物語」を楽しむことができる、
と評判になったのだ。
「キャストに気を使わず、こんな脚本を書けるなんて、
すごい力量の脚本家《きゃくほんか》なんだろう」
まだ無名の脚本家は、そんな評価を受けることになった。

俺は、自分で言うのも何だが、「無名の脚本家《きゃくほんか》」だ。

ドラマ制作の現場では、そんな俺に、
何の発言権もあるはずがない。

でも、そんな俺だからこそ、今回の仕事がきたのだろう。

俺にとっては、チャンス以外の何者でもない。

今回の脚本に、全精力《ぜんせいりょく》を注《そそ》ぎ込《こ》むだけである。

しかし、そんな俺の考えは、とんでもなく甘《あま》かった。

まず、最初に提案した脚本は、
プロデューサーに大絶賛《だいぜっさん》されたにもかかわらず、
撮影がはじまると、100%書き直させられた。

「人気若手俳優同士がケンカして、どっちかを降《お》ろさなきゃいけなくなった。どっちかを、次に殺してくれ。

大物俳優のほうも、撮影が押すようだったら殺しといて」

「あの俳優、違法薬物《いほうやくぶつ》の疑惑《ぎわく》で内偵《ないてい》されているらしい。

万が一のために、顔に包帯《ほうたい》を巻《ま》かれている役にして」

俺は今、テレビ局の会議室に閉《と》じ込《こ》められ、日々変化する俳優たちの状況《じょうきょう》に合わせ、脚本を修正する毎日を送っている。

第57話

最後の盗《ぬす》み

私は、ビジネスで成功した大富豪《だいふごう》だ。
しかし、それは本当の姿《すがた》ではない。もう引退して久しいが、
元々、その財産《ざいさん》は、「盗《ぬす》み」によって得たものだからだ。
最初、金持ちから盗むのは、「世直《よなお》し」のつもりだった。
しかし、途中《とちゅう》からは、単なる競争心で盗みを働いた。
当時、「怪盗《かいとう》キング」と言われた私には、
「怪盗ジャック」というライバルがいた。
同じ財宝《ざいほう》をターゲットにして競い合う関係だったのだが、
いつしか、奴と競うために盗むようになってしまった。
奴は何度も私に挑戦《ちょうせん》してきたが、私は常に勝利した。
私は、その後、「盗み」の世界から足を洗った。
今、匿名《とくめい》で様々な慈善活動《じぜんかつどう》を行っているが、
そのことを公にするつもりは一切ない。
それは、昔行っていたことの罪滅《つみほろ》ぼしなのだから。

俺は、世間が俺につけた、
「怪盗《かいとう》ジャック」というあだ名に納得《なっとく》できなかった。
奴が「K《キング》」で、俺が「J《ジャック》」？
それは、奴《やつ》より俺を下に見ているゆえのあだ名だ。
たしかに1回1回の競争では、俺は奴に負けた。
しかし、十数回の戦いで勝負がつくものではない。
我々は、2人とも、まだ警察に捕《つか》まったわけではない。
長い戦いの果てに、最後にどちらが笑うかが、
本当の勝負のはずだ。
しかし、奴は、何度勝負をけしかけても、
「もう引退したんだ」と言って、勝負を受けようとはしない。
俺は、最後の勝負に出ることにした。
その日、新聞には、俺の顔がでかでかと掲載《けいさい》された。
「怪盗《かいとう》キング自首！　正体を現す！　罪の意識から、
慈善活動家として多額の寄付をしていたことを告白！」
俺は笑いながら思った。
奴の自己満足な勲章《くんしょう》をすべて盗んでやったと――。

第58話

弱肉定食

「これから、100万年前の、この地球という惑星《わくせい》に時間遡行《じかんそこう》して、そこでありとあらゆる動物を食《く》い尽《つ》くす」

異星人の残したメッセージは、地球人を絶望に陥《おとしい》れた。

と、そのとき、空の一角から、神々《こうごう》しい光を放つ、ドラゴンのような姿《すがた》をした生き物が現れた。

宇宙人たちは、小型の戦闘機《せんとうき》に乗って、ドラゴンに攻撃《こうげき》をしかけるが、ドラゴンは母船、戦闘機もろとも、すべて食らいつくした。

おそらく、母船の救助信号を受けたのであろう、ふたたび現れた無数の宇宙船も、すべてドラゴンに飲み込まれていった。

奇跡的に、人類の過去と未来が救われた。

しかしまだ油断はできない。

ふたたび某国の大統領が、ドラゴンに呼びかけた。

あなたは神ですか？
なぜ、我々を救ってくれたのですか？
それとも、これから我々地球人を食料にするのですか？

その、ドラゴンに似《に》た姿《すがた》の存在が、何者であったのか、
結局、誰にもわからなかった。
しかし、その存在が、なぜ地球を助けてくれたのか、
その理由は、全地球人の知るところとなった。
その存在の言葉が、直接、全地球人の頭の中に
聞こえてきたからである。
《「我々を救ってくれた」？
小さな者よ、何のことを言っているのだ？
私が、あの空に浮かんでいた者どもを食したのは、
あの者たちが美味《びみ》だから、という以外に理由はない。
小さな者よ、お前たちを食料にする？
そんなことはありえない。
なぜなら、お前たちは小さくて、
食べる部分など、どこにもないではないか。
それだけではない。悪臭《あくしゅう》がするし、まずい。
こんな環境で生きている生き物が、
食べ物になるはずがないではないか》

第59話
Ａ《エー》Ｉ《アイ》大《だい》統《とう》領《りょう》

とある国で、大統領辞任を求めるデモが行われた。

宇宙からの侵略者問題、蔓延《まんえん》する感染症《かんせんしょう》対策《たいさく》など、山積する問題に、有効な政策を打てないどころか、何一つ政治的判断ができないことに、国民が業《ごう》を煮《に》やしたのである。

しかも、大統領は、体調不良を理由に、公務《こうむ》を休むことがたびたびあった。

国民が次期大統領に切望したのは、驚《おどろ》くべきことに、「ＡＩ大統領」であった。

「スーパーコンピュータに接続したＡＩ大統領のほうが、はるかに迅速《じんそく》によい判断、決断をくだせるに違《ちが》いない！」

それに対しては、政府も、力強く反論の声明を出した。

「大統領の職務は、どんなに性能がよくても、ＡＩに務められるはずがない！」

政府高官は、吐《は》き捨《す》てるような口調で言った。

「大統領の職務は、ＡＩなんかに務まるはずなんてなかったんだ……」

大統領の執務室《しつむしつ》。彼の目の前には、主電源《しゅでんげん》を切られ、首をうなだれたままのＡＩ大統領が座っていた。

2年前、本物の大統領が心臓《しんぞう》の病気で急死した。しかし、当時、宇宙からの侵略者が襲来してきた時期で、政治的空白を作ることができなかった。そのため、急遽《きゅうきょ》、まだ開発途中だった「ＡＩ搭載《とうさい》ヒト型ロボット」に、大統領の姿《すがた》に似《に》せた人工皮膚《じんこうひふ》をかぶせ、始動させたのである。国民は、大統領がすでにＡＩ化されていることを、まだ知らない。

「何がＡＩ大統領だよ……」

政府高官の言葉が、過去の自分たちの判断にだったのか、国民に向けてだったのか、彼自身にもわからなかった。

第60話

評判のよい医者

執刀《しっとう》した手術に、ことごとく失敗し、
患者《かんじゃ》を死なせている外科医がいた。
しかし、彼は、医者仲間からは、
とても感謝されている、評判のよい医者だった。
今日もまた彼は、同僚《どうりょう》の外科医から
強く手を握《にぎ》られ、こう言われた。
「お前は、本当に、いい医者だな」

「お前みたいな医者がいてくれて、本当に助かるよ。こんな成功率の低い手術を代わってくれるなんて」

評判のよい医者は答えた。

「なぁに、いいっていいって。こんな難しい手術、誰が執刀《しっとう》したって、無理だよ。でも、手術に失敗したら、お前の出世に響《ひび》くだろ？お前みたいな優秀な人材は、出世しないとダメだからな。俺は出世に興味がないから、これからも、何かあったら言ってくれよ」

――才能のある外科医は、医学界の宝だ。彼らのキャリアに傷をつけるわけにはいかない。

評判のよい医者には、「医学の未来」が見えていた。

しかし彼には、わずかな望みにすがる患者《かんじゃ》の顔も、その患者の無事を祈る家族らの顔も、まったく見えていなかった。

第61話

犯人の特徴

目撃者《もくげきしゃ》の情報によれば、
犯人は、その喫茶店《きっさてん》に逃《に》げ込《こ》んだという。
通報を受けた刑事が店内に踏《ふ》み込《こ》んだとき、
店内には、2人の男が客として座っていた。
刑事は、意を決したように、2人の男に近づくと、
おもむろに、2人の髪の毛をつかんで引っ張った。
「犯人はスキンヘッドだった」というのが、
目撃者からの、もう一つの情報だったのだ。
1人の男の髪の毛が、ズルリとずれて、
毛のない頭部があらわになった。
「な、何をする!」と、スキンヘッドの男が叫《さけ》ぶ。
「その頭が何よりの証拠《しょうこ》だ。お前が犯人だな、逮捕《たいほ》する!」
刑事は、そう言うと、激しく抵抗《ていこう》する
スキンヘッドの男を連行していった。

スキンヘッドの男が、刑事に連行されていったあと、
店内に残されたもう1人の男性客が、
喫茶店の女性マスターに向かって言った。
「何の事件かわかりませんけど、びっくりしましたね。
それに、あの人、カツラをかぶっていたなんて、
二重に驚《おどろ》きですよ」
その男性客は、喫茶店の女性マスターに惚《ほ》れていた。
そして、逮捕《たいほ》された男が、同じように
女性マスターに惚《ほ》れていたことも知っていた。
男性客は、刑事に引っ張られた髪を整え、
ほくそ笑みながら思った。
――犯行の時にかぶったハゲカツラを早く処分しなきゃな。
アイツがカツラだってことは、前から知っていたんだ。
だから、カツラみたいに、罪もかぶってもらったのさ。
犯行の目撃情報自体、俺のウソだから、
すぐに解放されるだろうけど、もうこの喫茶店には
来ないだろうな。

第62話

サンジェルマン伯爵《はくしゃく》

サンジェルマン伯爵《はくしゃく》は、ヨーロッパの歴史の中で、
もっとも謎《なぞ》めいた人物だと言われている。
宝石だらけの衣装《いしょう》をまとい、
人前では謎《なぞ》の薬とパンと麦《むぎ》しか食べない。
芸術と錬金術《れんきんじゅつ》に詳《くわ》しく、
数十ヵ国語を話せて、世界中を旅している。
中には、彼のことを「ペテン師」だという人々もいた。
彼の一番の謎《なぞ》は、ずっと年をとらないということだ。
「伯爵《はくしゃく》は錬金術で不老不死《ふろうふし》の薬を作り、
すでに2000年も生きている」とも噂《うわさ》されていた。
とある人物が、彼の使用人に、こっそり尋《たず》ねた。
「君の主人は、本当に2000歳なのかね？」
使用人は、困《こま》り顔《がお》で言い淀《よど》んだ。
「それが……私にも、よくわからないんです」

質問した人物が、得意げな顔をして言った。
「ほら、不老不死なんて嘘《うそ》っぱちだ。
人間が、2000年も生きられるわけがない」
男が勝ち誇《ほこ》ったような顔をしたのを見て、
サンジェルマン伯爵《はくしゃく》の使用人は、
申し訳なさそうな顔で付け足した。
「本当に申し訳ありません。
なにせ私は、まだ300年しか、
伯爵にお仕《つか》えしていませんので、
よくわからないんです」

第63話

人《ひと》喰《く》いザメ

「昔、近くの海に1匹のサメが現れて、多くの犠牲者《ぎせいしゃ》が出たんだ。漁師だった俺も、奴《やつ》に右腕《みぎうで》を食われた」

とある漁村で、右腕のない老人が孫に昔話をしていた。

「サメの捕獲《ほかく》に100万円の懸賞金《けんしょうきん》がつけられたが、怖《こわ》がって誰も挑《いど》まなかった。俺以外はな」

彼を手伝おうとする者はいなかった。腕を失った彼は意固地な性格になり、周囲から避《さ》けられていたのだ。

「だがついに、俺は人喰いザメを捕獲《ほかく》した」

それを聞いて、孫が目を輝《かがや》かせた。

「すごいね爺《じい》ちゃん！
爺ちゃんは、その100万円を何に使ったの？」

「俺は金なんて、もらってねぇ」

「え!?　懸賞金はウソだったの？」

「いや。俺はサメを逃がしてやったのさ」

片腕《かたうで》のない漁師は、
ナイフでサメの胸《むな》びれと尾びれを切り落とし、
その場でひれに食らいついた。
そして、ひれを切断された人喰《ひとく》いザメは、
そのまま海に戻《もど》された。
老人は、そのときのことを思い出し、
目を爛々《らんらん》と輝《かがや》かせて笑った。
「弱肉強食の海の中で、
奴に、俺と同じ苦しみを味わわせてやったんだ。
けけけけけ……」

第64話

出待ち

メンバーの素顔《すがお》、年齢《ねんれい》、出身地……、
すべてが謎《なぞ》のバンド。
そのバンドの初ライブの情報をつかみ、
先月、大喜びでチケットを押さえた。
そしていよいよ、今日はそのライブの日。
高校生活ではじめて、友だちと学校を途中《とちゅう》で抜け出し、
これからライブ会場に向かうつもりだ。
ライブ後には出待ちして、サインをもらおうと思う。
もし写真も一緒に撮《と》れれば、本当に最高だ。

いよいよ彼らが出てくるタイミング。
時間も予定通り。裏口から出てきたその瞬間《しゅんかん》、
急いで彼らに近づき、首根《くびね》っこを押さえつけた。
「お前らが、学校を抜け出して、
ライブを観に行くっていう情報をつかんでな。
こうやって、学校の裏門で見張らせてもらったんだ」
体育教師の腕力《わんりょく》は、とても強い。
彼を振《ふ》り切《き》ってライブに向かうなんて、
とても無理な話だった。

第65話

赤い糸

朝、目を覚まし、ベッドから抜け出しメガネをかける。
起きたときには、メガネをしていなかったので
気づかなかったが、白い布団《ふとん》の上を、
赤く細い糸のようなものが横切っていた。
――なんだ、この糸？
その糸の先を目で追ってみると、
自分の小指の先に、赤い糸が結ばれている。
――誰かのイタズラ？　それとも、「運命の赤い糸」？
指を出発点とした糸は、
部屋の外まで続いているようだった。
「どこまで伸びているんだ？　これをたどれば、
ひょっとして未来の結婚相手に会える？」
少しドキドキしながら、糸をたどって行くと、
赤い糸は、階段を降りた先のリビングへ続いていた。

糸に導《みちび》かれてリビングに入ると、
赤い糸は、パソコンのそばに置かれた
Wi《ワイ》-Fi《ファイ》のルーターにつながり、
そこでプツリと切れていた。
「最近じゃ、『赤い糸』も、無線か……。
まぁ、昔と違《ちが》って、人間の行動範囲《こうどうはんい》も広いし、
世界のどこに運命の相手がいるかもわからないからな」
そういうわけで、僕は今、
インターネットの中で、運命の相手を探している。

第66話
異国《いこく》からの贈《おく》り物《もの》

昔、とある国のお姫様《ひめさま》の元に、
さほど大きくはないが、
明らかに高価なものが入っていることを予感させる
美しい箱が送られてきた。
「異国からの届《とど》け物《もの》のようです」
家臣《かしん》が姫に、おずおずと、箱を差し出す。
「ほほう、美しい箱じゃな。
しかし、前に、どこかで見たことがあるような気も……。
いったい何が入っておるのじゃ……」
「あっ！　お待ちくだされっ！
何が入っているかわかりませんぞ……！」
あわてて制止する家臣の言葉も間に合わず、
姫が、箱を開けた――。

箱の中から、もくもくと煙《けむり》が吹《ふ》き出《だ》してきた。
家臣《かしん》は、贈り物に偽装《ぎそう》した異国の攻撃《こうげき》だと思い、
あわてて身を伏《ふ》せる。
しかし、やがて煙は消え、爆発《ばくはつ》も起こらなかった。
そして、煙《けむり》が晴れた中に、
見知らぬ老婆《ろうば》が座《すわ》り込《こ》んでいた。
直後、姫《ひめ》に仕《つか》える、古くからの家臣が、
駆《か》け込《こ》んできた。
「あー、間に合わなかったか！
姫、これは、かつてこの竜宮城《りゅうぐうじょう》に滞在《たいざい》したことのある、
浦島太郎殿に手渡《てわた》した、玉手箱ですぞ。
お忘れなされたか」
それでも、老婆は呆然《ぼうぜん》としていた。
「地上にお戻《もど》りになられた浦島殿が、
『長い間開けずに持っていましたが、
やはり、こんな高価そうなものはいただけない』と言って、
先ほど、亀に託《たく》してご返却《へんきゃく》なされたのです」

第67話

見出し

「美人銀行員横領《おうりょう》事件」「美女連続殺傷事件」――。
事件の被害者や加害者となった女性に、
「美人」や「美女」という言葉を冠《かん》して、
センセーショナルに書き立てる雑誌に対し、
とある団体が抗議《こうぎ》をした。
しかし、その雑誌の編集部は猛烈《もうれつ》に反論した。
「美人を『美人』と形容して、何がいけない？
それとも、あの事件の被害者は、美人ではないとでも？」

そして、社会を震撼《しんかん》させる、猟奇《りょうき》事件が起こった。
それは、女性ばかりをねらう、
連続殺人事件であった。

その事件では、複数の女性が被害者となった。
世間を震撼《しんかん》させたのは、その犯行の手口である。
女性の首から上は切断され、発見されていない。
そのため、歯形もわからない。
両手の指先も焼かれていて、指紋《しもん》もわからない。
女性たちの身元につながるような物品も
残されてはいない。
被害者の女性たちが誰なのかがわからない。
そのため、家族が行方不明になり
「捜索願《そうさくねがい》」を出していた者たちは、
皆、不安になり、警察に問い合わせをした。

マスコミも、この事件を連日のように報道した。
そして、あの雑誌が、
センセーショナルな見出しの記事を書いた。
「首なし美女連続殺人事件！
犯人、動機、いまだに謎《なぞ》！」

第68話

車内販売

窓《まど》から見える景色が、完全に動かなくなった。
ついに止まってしまったようだ。
隣《となり》の席に座る夫も、少しイライラした様子で、
窓の外をにらんでいる。
しかし、こうなったら、もうどうしようもない。
私は、この旅が長旅になる覚悟《かくご》を決めた。
そして今、車内販売の声が聞こえるのを、じっと待っている。
「お弁当《べんとう》、おつまみ、お飲み物は、
いかがでしょうか～?」
来た来た、やっと来た。
隣の席に座る夫の表情も、車内販売の声を聞き、
やわらいだように見える。
私は、車内販売の人に、
「冷たいお茶を2本ください」と声をかけた。

私が声をかけると、４歳の息子が、
車の後部座席から短い手を伸《の》ばし、
ペットボトルのお茶を2本手《て》渡《わた》してくれた。
そして、私から、オモチャのお金を受け取ると、
またチャイルドシートに戻《もど》って安全ベルトを締《し》める。
これが、ドライブ中、高速道路で渋滞《じゅうたい》にはまったときの、
最近の息子のお気に入りの遊びだ。
こんな遊びがあるなら、交通渋滞も苦にはならない。
私は、そんな気持ちになった。
目的地にたどり着くことだけが
ドライブの楽しみではない。
どんな悪路のドライブでも、
その中に楽しみは見いだせるはず。
育児の旅は、まだ始まったばかりだ。

第69話

時効成立《じこうせいりつ》

「みなさんに、お話ししたいことがあります」
探偵《たんてい》は、そう言って、私たちを広間に呼び出した。
犯人《はんにん》の目星《めぼし》がついたということだろうか。
昨日、この別荘《べっそう》のオーナーが殺される事件が起きた。
広間には探偵、老夫婦、サングラス姿《すがた》の若い女、
そして私、の計5人。犯人は、この私である。
宿泊客《しゅくはくきゃく》の中に探偵が混《ま》じっていたのは
とんだ誤算《ごさん》だったが、それでも私には、
探偵が真相にたどりつけない自信があった。
「お集まりいただきありがとうございます」
探偵が、推理小説《すいりしょうせつ》にありがちな陳腐《ちんぷ》な挨拶《あいさつ》をする。
そして、高らかに宣言するように言った。
「昨日、この別荘で起こった、殺人事件。
私には、悪魔に魂《たましい》を売った犯人がわかりました」

探偵《たんてい》は、まるで自分が現場に居合《いあ》わせたかのように、昨夜の様子を淡々《たんたん》と説明し始めた。

「殺人事件が起きたと思われる時間、全員に鉄壁《てっぺき》のアリバイがあったことは、昨日、皆で確認しました。しかし、事件は本当に、あの時間に起きたのでしょうか」

たしかに、事件があの時間に起きたのでなければ、アリバイ自体が無意味なものになる。

探偵が、ちらちらと私のほうを見ている気がする。トリックを見破ったとでもいうのだろうか。

私は少し焦《あせ》りを覚えた。

「大事なのは、アリバイではなく、動機でしょう？　なぜ、オーナーは殺されなければならなかったんですか？　その動機《どうき》はわかったんですか？　そういえば、あの女は、オーナーと言《い》い争《あらそ》いをしてましたよね？」

そこまで言って、芝居《しばい》じみた演技で女を指差した瞬間《しゅんかん》、私は思わず笑《え》みを浮かべた。この勝負、私の勝ちだ。私にしゃべらせたのが運《うん》の尽《つ》きだ。あの探偵は、もう犯人を名指しすることができないはずだ。読者に犯人の名前も、アリバイトリックも、もちろん動機も伝えることはできない。なぜなら、この本は、すべて表裏２ページで完結するからだ。もうスペースはない。これで時効成立《じこうせいりつ》だ。

第70話
人気暴落

芸能人と見まがうようなルックス、スポーツ万能、モデルのように高身長で、成績もよく、性格も優しく爽《さわ》やか——そんな男子であるリョウを、女子たちが放っておくはずがない。

自分の魅力《みりょく》に自信がある女子たちが、毎日のように彼に告白した。

しかし、誰の告白に対しても、リョウが首を縦《たて》に振《ふ》ることはなかった。

リョウが女子に求めていることは、ただひとつだけ——それは、「ハートの温かさ」だったからだ。

あるとき、彼に振《ふ》られた女子が尋《たず》ねた。

「私、この学校でいちばん可愛いと思うよ。それでもダメなの？　リョウくんは、女子のどこを見て、彼女にしたいかを決めるの？」

その翌日《よくじつ》から、リョウの人気は暴落《ぼうらく》しはじめた。

ただ、もともと、「女子からの人気」を気にしているわけではなかったからか、リョウは平然としている。

しかし、ほかの男子たちはそうではない。

今まで絶対的な人気者だった男子が、急に女子からの人気を失った。理由が気にならないわけがない――。

1人の男子が、とある女子生徒に聞いた。

「ねぇ、なんであいつ、急に女子に嫌《きら》われちゃったの？」

女子は、声を潜《ひそ》めて答えた。

「だってリョウくん、女子の胸《むね》にしか興味《きょうみ》がないんだって。クルミが彼に告白して振《ふ》られたらしんだけど、そのとき、すっごい爽《さわ》やかな笑顔《えがお》で、『僕が大事だと思っているのは、胸《むね》の大きさだけだよ』って、言われたんだって」

「まじ？　あいつ、オッパイ星人かよ～」

それ以来、彼の女子人気は暴落したまま、回復していない。

ただし、男子人気だけは、ちょっとだけ上がったらしい。

第71話

ドア

そのドアを開け、一歩前に踏《ふ》み出《だ》す。
すると、演説テーブルの上に、
マイクと原稿《げんこう》があったので、それを読み上げる。
「勇気をもって道を進み、ドアを開けるだけでいい。
そして、一歩踏み出そう。それが成功の秘訣《ひけつ》なんだ！」
それを聞いた100人の聴衆《ちょうしゅう》は、
皆、熱い眼差《まなざ》しで歩きはじめ、
それぞれの目の前のドアを開けた。

100人がドアを開け、一歩踏《ふ》み出《だ》した。
しかし、99のドアの先には床《ゆか》はなく、
皆、暗く、先の見えない穴の中に落ちていった。
ただひとつのドアを除《のぞ》いて……。
その、ただひとつのドアを開けた者は、
ほかのドアの先に床がないことを知らない。
そして、ドアの先はステージにつながっている。
演説テーブルの上に、
マイクと原稿があったので、それを読み上げる。
「勇気をもって道を進み、ドアを開けるだけでいい。
そして、一歩踏み出そう。それが成功の秘訣《ひけつ》なんだ!」
それを聞いた100人の聴衆《ちょうしゅう》は、
皆、熱い眼差《まなざ》しで歩きはじめ、
それぞれの目の前のドアを開けた。

第72話

犯人の特徴ふたたび

「番号札35番のお客様、2番窓口へお越《こ》しください」
銀行内にアナウンスが流れ、
2番窓口にお客がやってきた。
「お待たせいたし……」
窓口の銀行員は、お決まりの言葉を言いかけて、
少し言葉をつまらせてしまった。
巨大で、不自然に盛り上がった髪《かみ》。
それが、天然の髪ではないことは、容易《ようい》に想像できた。
好奇心《こうきしん》にかられて、どうしても視線が、
頭に向かってしまう。
しかし、実際にそれを見ると、笑いがこみ上げてくる。
銀行員は、あわてて目を伏《ふ》せ、なんとか我慢《がまん》した。

「それで、犯人の年齢《ねんれい》は？　どんな顔をしてましたか？」
カツラの男は、銀行強盗《ぎんこうごうとう》だった。
銀行員に銃《じゅう》をつきつけ、
あっという間に現金を強奪《ごうだつ》して逃《に》げ去《さ》ったのだ。
監視《かんし》カメラの映像では、頭にかぶった大きな物体に隠《かく》れ、
犯人の顔や、その特徴を確認することはできなかった。
刑事が、銀行員や店内にいたお客に聞き込みをしていた。
「犯人は、覆面《ふくめん》をしていたわけでも、
メガネをかけていたわけでもないんですよね？
なぜ、誰も犯人の顔を覚えていないんですか？
犯人は、透明人間《とうめいにんげん》だったとでも言うんですか⁉」
しかし、皆——窓口対応をした銀行員ですら、
こう言った。
「実は、犯人の顔をはっきりと見ていないんです」
犯人の髪型を覚えている者は多かったが、
犯人の顔を覚えている者は、誰もいなかった。

第73話

踏《ふ》み台《だい》外し

社員10人程度の小さな会社で、僕は働いている。
鈍《にぶ》くて不器用な僕は、
上司や先輩にパワハラを受けていた。
「この役立たず!」
他に行ける会社などない僕は、
この会社で耐《た》えるしかない。
一生懸命《いっしょうけんめい》に働いたからか、働かせられたからか、
不器用な僕も、徐々《じょじょ》に仕事を覚えた。
しかし仕事ができるようになると、
彼らの仕事まで、僕1人に押しつけるようになった。
僕がどんなに一生懸命に頑張《がんば》っても、
彼らは、僕の足を引っ張るか、
踏み台を外すような卑劣《ひれつ》な真似《まね》をする。
僕は、とうとう会社を辞《や》める決心をした。

僕が、卑劣《ひれつ》な仕打ちを受けても、
あの会社で仕事をし続けたのは、２つの理由があった。
１つは、早く仕事を覚えたかったから。
そして、もう１つは、重要な仕事を、
僕に集中させたかったから。
「僕抜きでは業務を回せない」
という状況になるまで、僕は、あの会社で頑張《がんば》った。
「無能だから、転職なんてできない」
というポーズを取りながら。
そして、僕は、満を持して、あの会社を辞《や》めた。
あの会社で、独力で身につけた仕事のスキルは、
新しい会社でも大いに役立っている。
僕１人に仕事を押しつけていたあの会社は、
僕という踏《ふ》み台《だい》を失ったとたん、業務が回らず、
経営が傾《かたむ》き、先日、つぶれてしまったそうだ。

第74話

隣《となり》のテーブルの会話

こんなことを言えば、「古い時代の価値観《かちかん》を押しつけないでほしい」と反論されるのは、間違《まちが》いない。

それでも、一言、隣《となり》のテーブルのカップルに言わずにはいられなかった。そして、実際に言った。

「目の前にいる恋人同士なんだから、スマホのチャットではなく、お互《たが》い目を見て、生《なま》の声で話しなさい」と。

見つめ合う2人の表情を見ても、
2人が恋人同士であることは間違いないだろう。

にもかかわらず、2人は黙々《もくもく》とスマホを操作《そうさ》し、おそらくスマホの文字で会話をしていた。

「呆《あき》れる」とか、「イライラする」といった感情ではない。

恋する男女が、そんな会話をしていることが悲しかったのだ。

2人のテーブルの横に立つ私を見て、
男子が、なんとも複雑な表情を向けてきた。

男子は、自分のカバンの中から、
ノートとペンを取り出すと、
さらさらっと文章を書いて、私に見せてくれた。
おそらく、生活の中で、そういうシチュエーションに
遭遇《そうぐう》することが多いのだろう。
そのノートには、こんな文字が書かれていた。

「すいません。僕たち、聴覚に障害があって、
他人の声を聞くことができません。
なんておっしゃったのか、
このノートに書いていただいてもよろしいでしょうか？」

私は、「古い時代の価値観」などではなく、
「自分の想像力のなさ」を恥《は》じた。
そして、「おふたりの幸多《さちおお》い未来を祈《いの》っています」
とノートに書くと、
逃《に》げるように、その場を立ち去った。

第75話

AI《エーアイ》社員の導入《どうにゅう》

私の勤める会社が、AI社員を導入することを発表した。

実証実験《じっしょうじっけん》に協力するそうで、そこで得られたデータを、AI社員の性能にフィードバックするのだという。

AIだから、事務処理能力では力を発揮《はっき》するだろう。

しかし、AIなんかに、対人関係を築《きず》けるはずがない。

そんな私の心配は、やはり現実のものとなった。

実際に、AI社員とやりとりをすると、ひとつ一つのふるまいが、妙《みょう》にイライラする。

偉《えら》そうな物言いだったり、ちょっとした表情やクセも、いちいち勘《かん》に触《さわ》る。私と同じ意見の人間は多い。

が、不思議なのが、AI社員に好感をもっている者も、一定の数だけいるということだ。

もっとも、それらの人々は、仕事ができない人間ばかり。

単に、「彼らには、見る目がない」という話なのだろう。

「AI社員」の開発メーカーの会議室で、実証実験《じっしょうじっけん》の結果をもとに、話し合いが行われていた。

「ここまで意見が真っ二つになるとは思いませんでした」

「これは、『ミラー効果モード』の影響《えいきょう》なのかな?」

「ミラー効果」とは、「同調《どうちょう》効果」とも言われる心理学用語で、

「自分と同じしぐさや表情をする相手に好感をもつ」

という現象のことである。今回のAI社員には、ほかの社員に好印象をもってもらうために、対話する相手の所作《しょさ》ふるまいを自然に真似《まね》する、このモードが設定されていたのである。

「それはつまり、AI社員と会話する人間は、自分自身と会話しているってことですよね?それを嫌《きら》うって、近親憎悪《きんしんぞうお》ってことですか?」

「いやいや、そんな複雑な感情じゃないよ。他人の欠点を厳《きび》しくあげつらうクセに、自分も同じことをしていることに気づいていない――いわば、仕事ができない、『見る目がない』人間なんじゃない?」

第76話

仮面の国

昔、あるところに、人々がみな、
顔に仮面を着けて暮《く》らす国があった。
白、赤、青……様々な色と模様《もよう》。
仮面の形も多種多様で、同じ仮面は存在していない。
そして、誰も、他人に素顔《すがお》を見せることはなかった。
しかし、ある時、新しく王位についた国王が宣言した。
「仮面をつけていては、皆が何を考えてるかわからない。
これからは、顔に仮面をつけることを禁止する。
明日から、みな、素顔で暮らすように」

最初は、その命令に不満を述べる者もいたが、
多くの人々が、その命令を受け入れ、
人々は、仮面を捨《す》てる決断をした。

「本当は、今まで、相手が何を考えているのかわからず、
怖《こわ》かった。でも、これでやっと、
向き合った人の考えてることがわかる」

国王も国民も、誰もがそう思った。

しかし、しばらくすると、国民の不満とストレスは、
大きくなっていった。

――仮面を外しても、素顔の表情が、
常に本当の気持ちを表しているわけではない。
これじゃ、素顔も仮面と変わりない。
いや、心にもない表情を見せつけられずにすむ分だけ、
仮面のほうがましかもしれない。

表情のない仮面をつけた国民の大暴動によって、
国王が命令を撤回《てっかい》するのに、
大した時間はかからなかった。

第77話

応募《おうぼ》作品

息子の学習机《がくしゅうづくえ》の上に、原稿用紙《げんこうようし》の束《たば》が置かれていた。
タイトルは書かれていないが、どうやら小説のようだ。
そういえば、この前、何かの賞に応募《おうぼ》するために、
小説を書いている、と言っていた気もする。
勝手に読むのは息子に悪いが、好奇心《こうきしん》に負けて、
私は、原稿用紙に目を通しはじめた。
息子が書いた小説は、とんでもない傑作《けっさく》だった。
それは、親のひいき目ではないはずだ。
内容はミステリー。魅力的《みりょくてき》な人物たちが登場、
次々と怪事件《かいじけん》が起こり、容疑者《ようぎしゃ》がしぼられていく……。
ページをめくる手が止まらなくなった。
そして、物語は、いよいよ解決編にさしかかる。
私は、すっかり息子の作品のファンになっていた。
そして、呼吸を整えてから、ふたたびページをめくった。

物語は、次のページで唐突《とうとつ》に終わっていた。

いや、これは「物語」と言えるのだろうか——。

原稿用紙《げんこうようし》には、こんな文章がつづられていたのだ。

「僕の将来の夢は、小説家になることです。

今、推理《すいり》小説を書いています。

それが、前のページに書いている物語です。

ただ、途中までは、自分でも『面白い』と思える内容が書けたのですが、どうやって伏線《ふくせん》を回収して、どのような終わり方にすればよいかわかりません。

人生経験を積んで、もっと想像力を身につけて、
将来、この小説を完成させたいと思います」

私が、コンテストへの「応募《おうぼ》作品」だと思っていたものは、どうやら、「将来の夢」という、宿題の作文だったようだ。

「夢《ゆめ》オチかよ！」

一瞬《いっしゅん》は、そう毒《どく》づいたものの、私は考え直した。

「息子が、この作品を完成させ、夢《ゆめ》を叶《かな》えられるよう、いろいろな体験をさせてあげるのが父親の役割だ」と。

第79話

予告状

とある出版社の編集部に、犯行の予告状《よこくじょう》が届《とど》いた。
「7月20日までに、貴編集部から、大切なものをいただきます。怪盗《かいとう》キングより」
そして、会社には、厳重《げんじゅう》な警備がしかれることになった。
編集部には、不審《ふしん》な者が入らないよう、警備員が立ち、
原稿は、頑丈《がんじょう》なスーツケースに入れられて印刷所に渡《わた》された。
当然、印刷所のほうでも、変装した怪盗が紛《まぎ》れ込《こ》まないよう、
毎日、社員同士が顔をつねり合って本人確認が行われた。
そして、その後、特に怪《あや》しい動きもないまま、
編集部は、7月20日を迎《むか》えた。
朝、出社してきた編集長が、大きな叫《さけ》び声《ごえ》を上げた。
「なんだこれ!」

7月20日までに、
貴編集部から、
大切なものを
いただきます。
怪盗キング
KING

編集長が叫《さけ》び声《ごえ》を上げたのは、
デスクに2通の封筒《ふうとう》が置かれていたからである。
1通には、「怪盗《かいとう》キング」の署名《しょめい》が入っている。
「貴社が作っている、『5秒後に意外な結末』には、
時折、子どもの教育上よくないオチが使われています。
ゆえに、ニセモノのオチに入れ替えさせていただきました」
編集長が手紙を読み上げていると、
編集部に届いた『5秒後に意外な結末』の新刊を
検品していた編集部員が同じように叫《さけ》び声《ごえ》を上げた。
「だ、第77話のオチが、変な『夢オチ』に
差《さ》し替《か》えられています！　本当は、ブラックなオチだったのに！
父親が、なんかいい人になっちゃってます！」
編集長は、頭を抱えながら、もう1通の封筒《ふうとう》を見た。
そこには、「怪盗ジャック」という署名があった。
「怪盗キングと同様、私も、大事なものをいただいた。
怪盗キングと、どちらが華麗《かれい》な盗《ぬす》みか、
編集部のほうで判断をくだしてほしい」

あっ、第78話が、丸ごと盗《ぬす》まれています！
読者から見たら、ただの誤植《ごしょく》じゃないか！
そんなもののどこが華麗《かれい》な盗《ぬす》みだ！

第80話

天体観測

超高性能の天体望遠鏡が開発された。
それは、はるか遠くの星の光をとらえるどころか、
その星の中の景色まで見ることができるほどのものだった。
さっそく、その望遠鏡を使用し、
宇宙の星々を探っていた研究員たちが、ある発見をした。
「知的生命体が暮《く》らしている星があります！」
「なんだって？……本当だ。
我々《われわれ》と同じような姿《すがた》をしているぞ」
「しかし、文明をもっているとは言いがたいな。
裸《はだか》に近い姿で洞窟《どうくつ》に住んでいる。まだ原始的な生活だ」
「おい、同じ種族同士で争いはじめたぞ！」
それを聞いた、所長は笑いながら言った。
「あの星は、ここから４万光年離れているんだぞ。
つまり、あれは４万年前の景色だ」

それを聞いた若い研究員は、安心したように言った。

「そうですよね。同じ種族同士で殺し合うなんていう、ショッキングな映像を見て、パニックになってしまいました」

所長は、若い研究員に、優しい口調で説明を続けた。

「4万年あれば、原始的な生活から、高度な文明を築《きず》くこともできるはずさ」

「ということは、今現在の本当のあの星の文明は、もっと進んでいるわけですね」

「高度な文明を持つようになると、精神面も成熟《せいじゅく》し、同じ種族同士で殺し合うような、醜《みにく》い争《あらそ》いはなくなるものさ」

4万光年離れた星で笑って話す彼らは、知らなかった。

今、彼らが見ている星が、その星の住人から「地球」という名称で呼ばれていることを。

そして、原始時代から4万年経った現在でも、同じ人間同士が醜《みにく》い殺し合いを続けているということを。

第81話

タクシー

「お客さん、どちらまで?」

「どちら? 銀座だって言ったよな?
急いでくれないか。上映に間に合わないんだよ」

「映画ですよね? お客さん、最近の映画は、
しばらく待てば、だいたいネットでも観られますよ。
そんなに焦《あせ》らなくてもいいんじゃないですか?」

「何言ってんだ。キミにそんなこと言われる覚えは
ない!」

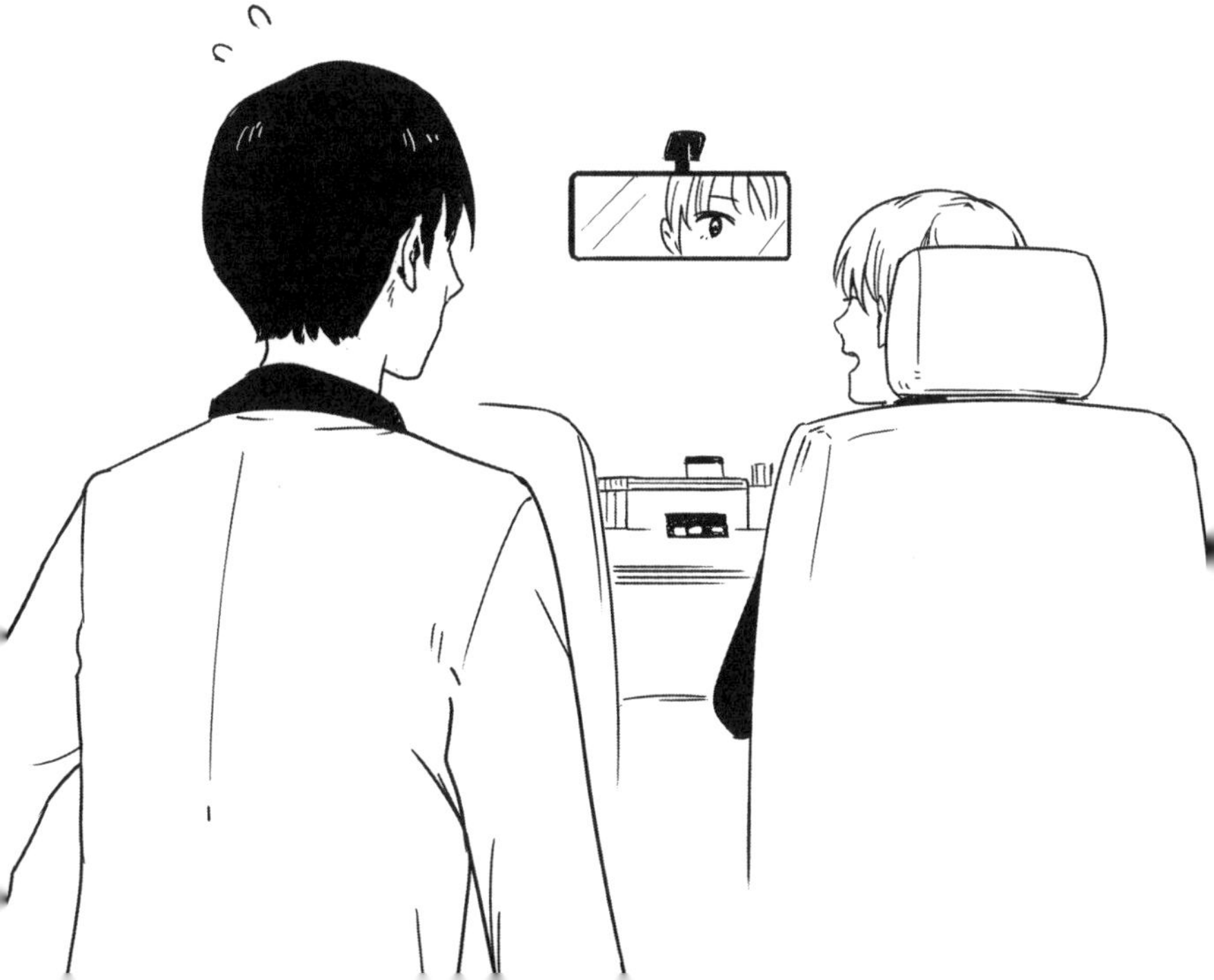

「キミに、そんなことを言われる覚えはない。
いや、キミにだけは、そんなことを言われたくない！
そもそも、予約してくれって言ったのは、
キミなんだぞ！」
「そうでしたっけ？」
「もう、そのお遊びはやめてくれ！
そんな面白がって、タクシー運転手の真似《まね》をしている
ヒマがあるんなら、早く準備してくれよ」
「焦《あせ》らない、焦《あせ》らない」
女性は、まつ毛を整えながら、鏡越《かがみご》しに、
イライラする男に微笑みを向けた。

第82話
すっぱいブドウ

「けっ、どうせすっぱいに決まってるさ！」

ブドウの木を見上げながら、
キツネは、うらめしそうに通《とお》り過《す》ぎていった。

「ねぇ、ママ。ブドウってすっぱいの？」

子ザルが母ザルに尋《たず》ねた。

「さぁ、どうかしらね。

そうだ、お母さんが取ってきてあげましょう」

母ザルは、木に登ってブドウを1粒《つぶ》つまんで食べると、
取《と》り憑《つ》かれたように、すべて平《たい》らげてしまった。

「ママ、ずるい！　僕の分も残してよ！」

「あら、ごめんねえ。本当に美味《おい》しくて、
気がついたら全部食べちゃってたの」

「もういいよ！　いつか自分で登って食べるから！

そのとき、ママには分けてあげないからね」

不機嫌《ふきげん》な息子を見下ろす母ザルの口の中には、
まだ強い酸味《さんみ》と渋《しぶ》みが残っていた。
腹《はら》一杯《いっぱい》にたまったブドウを、
今すぐにでも、一つ残らず吐《は》き出《だ》したかった。
そう、あのキツネが悔《くや》しまぎれに言った通り、
ブドウは、食べられないほどすっぱかったのだ。
「でも、息子がブドウの木に登れるようになるまで
言わないでおきましょう。
最初から何もしないであきらめてしまう、
あのキツネみたいにならないように」

第83話
バトン

「次世代にバトンを渡したい」──
インタビューなどで、常々そう話していた
陶芸《とうげい》で一時代を築いた、人間国宝の老人が亡くなった。
その老人には、陶芸の道に進んだ3人の子どもがいた。
彼らは、老人の遺言《ゆいごん》にしたがい、残された箱を開けた。
中に入っていたのは、運動会で使うようなバトンである。
しかし、それは、陶器《とうき》で作られたバトンであった。
「わざわざ、こんな手のこんだバトンを作るなんて、
最後まで、父さんらしい……」
3人の子どもたちは、それぞれの想いを
胸《むね》に秘《ひ》めていた。

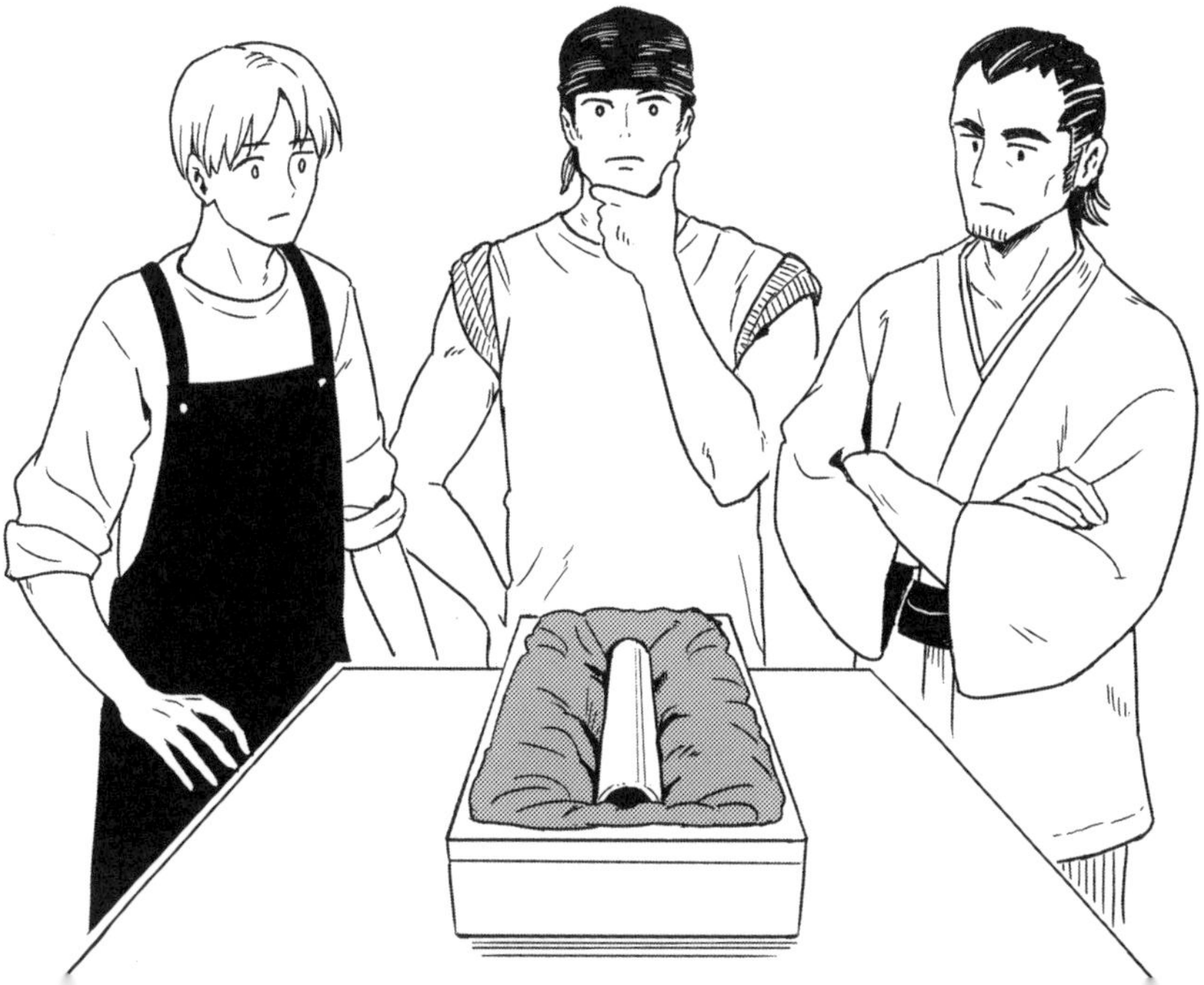

「何を残してくれたかと思ったら、笑えない冗談《じょうだん》だ」
長男は、そう言って、父親の家を立ち去った。
次男と末弟は、父の遺品に違和感《いわかん》を覚えていた。
と、そのとき、末弟がバトンを床《ゆか》にたたきつけた。
すると、粉々《こなごな》になった陶器《とうき》のバトンの中から、
金庫のカギがでてきた。
「これは、あの、開かずの金庫のカギのようだ」
2人が金庫を開けると、そこには、
父親が書いたであろう秘伝書が入っていた。
末弟は、少し考え込むと、次男に言った。
「これを受け取るべきなのは、兄さんだよ」
次男は、その秘伝書を持って、立ち去った。
――父さんは、あの陶器のバトンの中にカギを入れた。
父さんの作品を壊さないと、
カギは手に入らないと言うことだ。
それは、父さんの教えを壊して進めということのはず。
僕は、「創造のために破壊する」という父さんの教えを引き継ぐよ。

第84話
金庫

富豪の豪邸《ごうてい》に忍《しの》び込《こ》んだ怪盗《かいとう》は、
まっさきに金庫に向かった。
その金庫の中に、富豪がもっとも大切にする財産が
しまわれているという情報を得ていたからだ。
高度な技術で施錠《せじょう》された金庫だったが、
怪盗は、赤子の手をひねるように開錠《かいじょう》した。
「どういうことだ！　もう1つ金庫が入っているぞ？」
金庫の中には、一回り小さな金庫が入っていたのである。
警備員の気配が迫る中、
怪盗はすばやく2つ目の金庫を開けた。
しかし、2つ目の金庫には何も入っていなかった。
「あの情報、俺をおびき出すための罠《わな》だったんだな」
怪盗は、ぎりぎりのところで警備の手をかいくぐり、
逃走することに成功した。

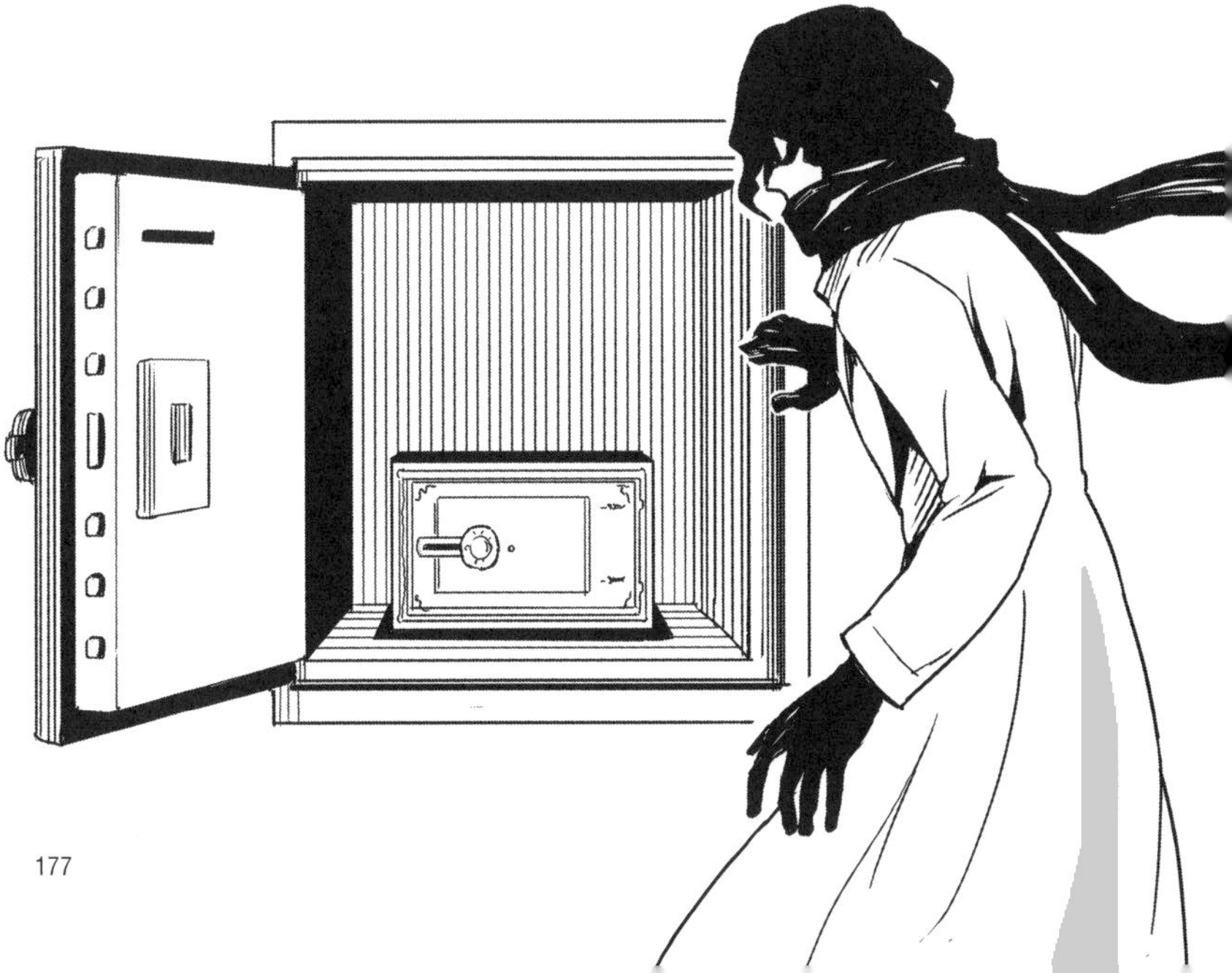

怪盗《かいとう》が去った後、開錠《かいじょう》された金庫を見つめて富豪《ふごう》はつぶやいた。

「……あぁ、よかった。モノの価値が分からない間抜《まぬ》けな泥棒《どろぼう》で、本当によかった」

彼のもつ財産の中で、もっとも高価なもの――それは、金庫の中に入っていた、「2つめの金庫」そのものだった。

目くらましの塗装《とそう》をしてはいるが、その金庫は、純金やプラチナでできたボディに、ダイヤルの部分にもたくさんのダイヤモンドをあしらった、世界に2つとない逸品《いっぴん》であった。

富豪は、うっとりとため息をつきながら、その金庫に頬《ほお》ずりをした。

第85話

やらせ

「昨日放送した、当局のバラエティ番組の中で、
やらせ行為《こうい》があったことが判明しました。
以後、このようなことがないよう……」
報道番組のキャスターが、
神妙《しんみょう》な面持ちで謝罪《しゃざい》の言葉を口にした。

その前日の深夜、番組のプロデューサーが
「なんで誰も、『美味《おい》しい』って言わないんだ?」
と会議室で声を荒《あら》げていた。
テーブル上には、番組で使ったカレーが
鍋《なべ》に入った状態で置かれている。
スタッフは全員、うなだれたように下を向いていた。

番組のプロデューサーの怒《いか》りは、いまだに収まらない。
「番組内で料理を残したら、
『番組収録後、スタッフが美味《おい》しく頂《いただ》きました』って
テロップを入れる決まりは、知ってるよな？
なんで誰も、『美味しい』って言わないんだ？
誰でもいいから、美味しいって言えよっ！」
プロデューサーはそう言って、
カレー皿《ざら》を手に取り、一口食べた。
「まずっ！　何だこれ⁉
カレーって、日をおいて熟成《じゅくせい》させれば、
より美味しくなるもんだろ？
もうテロップを入れて放送したんだぞ！」
――じゃあ、自分で「美味しい」って言えばいいのに。
皆、心の中でそう思ったものの、誰も口に出せず、
スタッフ一同は深いため息をついた。

第86話

恋文

何日も考えて、練《ね》りに練《ね》った恋文を書いた。
すずりで丁寧《ていねい》に擦《す》った墨汁《ぼくじゅう》。
一文字一文字に想いを乗せて、毛筆《もうひつ》で書いた草書《そうしょ》。
きっと彼の心に刺《さ》さるはずだ。

何日経ってても、彼からの返事はなかった。
心配になって、彼の家まで見に行く。
矢文は、見事に彼の心臓《しんぞう》を貫《つらぬ》き、
彼は、その場で絶命《ぜつめい》していた。

第87話

虫けら

「お父さん、助けて……。私、殺しちゃったの……」
深夜の2時過ぎ。震《ふる》える声の娘から電話がかかってきた。
今年の春から、大学生になったばかりの一人娘《ひとりむすめ》からだ。
大学は、自宅から通える距離《きょり》にあったが、
「大学生なんだから、独り立ちしたい」と懇願《こんがん》されて、
自宅から車で10分ほどのマンションで
一人暮らしすることを許した。
電話の向こうで、娘が泣きながら説明を続ける。
「暑かったから、ちょっとだけ窓《まど》を開けて寝ていたの……。
そしたら、あいつが入ってきて……。私、逃げたのに、
あいつが追いかけてきて……。お父さん、助けて……
私、あの虫けらを殺してしまったの……」
俺は、娘を落ち着かせ、
車で、娘のマンションに向かった。

俺は、娘のマンションにつくと、墨汁《ぼくじゅう》の入った水鉄砲《みずてっぽう》で、監視《かんし》カメラのレンズを黒くふさいだ。

そして、娘の部屋のドアを小さくノックし、部屋に入る。

室内は争《あらそ》いの激しさを物語るように、モノが散乱《さんらん》していた。

――こういうリスクは、想定しておかなければいけなかった。

やはり、娘の一人暮らしは、認めてはいけなかったのだ。

俺は、床《ゆか》に転がる虫けらを、どのように始末《しまつ》するかを考えた。

心臓《しんぞう》がバクバクするのが、自分でもわかる。

しかし、娘が泣いているのを放っておくことはできない。

そして、ゴム手袋《てぶくろ》をはめ、虫けらをティッシュでくるんだ。

このままトイレに流してしまうのが一番だろう。

何重かにした袋《ふくろ》にくるんでも、ゴミ箱にコイツがいたら、娘は安心できないだろうから。

トイレがつまってしまうのは怖《こわ》いが、しかたない。

俺は、あえて、にらむような表情で娘に言った。

「『虫けら』って、本当に文字通りの『虫けら』なんだな……」

「虫けら」って、文字通りの「虫けら」なのか？ゴキブリの死骸《しがい》も自分で始末《しまつ》できないなら、一人暮らしなんて、やめてくれよ
こんなことで、真夜中に、いちいちパパを呼び出さないでくれ！

第88話
呪《のろ》いの人形

築《ちく》300年以上、
先祖代々続く、由緒《ゆいしょ》正《ただ》しい豪商《ごうしょう》の大屋敷。
その応接室に、今も髪《かみ》が伸び続ける、
美少女の古い首人形があった。
その首人形は、等身大の大きさで、
しかも、恨《うら》みに満ちた言葉を話すため、
屋敷に住む者は、いつも恐怖におののいていた。
そんな身の毛もよだつ人形を、
是非、譲《ゆず》ってもらえないか、という男が現れた。
呪《のろ》われることを怖《おそ》れて、捨てることも、
お祓《はら》いすることもできなかった屋敷の主に、
断る理由などはなく、喜んでその人形を譲《ゆず》り渡《わた》した。

「これで、経費の節約ができる」
東京で、美容室を営むその男は、
呪《のろ》いの首人形を手に入れて、そっとつぶやいた。
「スタイリストのスキルを上げるためには、
頑張《がんば》ってカットの練習をしてもらわないと。
でも、東京は、店舗《てんぽ》の家賃《やちん》も高いから、
節約できるところは節約しないとな」
男は、首人形を新人の練習用マネキンにした。
切っても切っても、髪がすぐ伸びるので、
買いかえ不要で、コストの節減《せつげん》になる。
しかも、時折《ときおり》、毒々《どくどく》しい言葉を吐《は》くため、
うるさ型の客に対応するときの
トレーニングにもなる。
呪《のろ》われる心配は、今のところなさそうだ。
田舎《いなか》の旧家《きゅうか》から、華《はな》やかな都会に出てきて、
流行の髪型を色々体験できるからだろうか、
首人形の顔には、むしろ、満足感が漂《ただよ》っている
ようにも見えた。

いい感じにしてもらえなかったら、もうこのサロンには来ないわよ！

第89話

ビジネスの基本

ある朝、起きてみると、枕元《まくらもと》にランプが置かれていた。擦《こす》るだったか、フタを開けるだったかで、魔神がでてくる、「魔法のランプ」然とした、あのランプである。

僕は、フタを開けてみた。何の変化もない。

次は擦ってみた。すると煙《けむり》とともに、魔神が現れた。

魔神が、優しい声で言った。

「何でもひとつ、願いを叶《かな》えて差し上げましょう」

「でも、その代わりに、魂《たましい》を奪《うば》われたりするんでしょう?」

魔神は、少し心外そうな表情になった。

「どこからそんなデタラメを? 私たち魔神は、願いごとに見合ったものを少しいただくだけです」

僕は魔神に、願いごとと、差し出すものを言った。

しかし、病気の母は帰らぬ人となった。僕の寿命が減ったのかはわからない。あの魔神、何だったんだ?

病気のお母さんの命を助けて!
僕の寿命《じゅみょう》が10年縮《ちぢ》んでもいい!

その日、数多くの魔神が会場に集められていた。

1体の魔神が、資料を見ながら、発表をはじめた。

「私は、人間界の『日本』と呼ばれるエリアで、年齢《ねんれい》、性別、境遇《きょうぐう》の異《こと》なる約1万のサンプルを調査しました。その結果が、資料①のグラフです。

『願いごと』でもっとも人気が高かったのが、全世代とも『お金』や『財産』です。

これは、調査開始以来、ずっと続く傾向です。

一方、差し出すものでは、『自分の寿命』を挙《あ》げる者は減ってきており、その年数も、多数を占めるのが『1～3年』と短期化してきています」

魔神の世界に「マーケティング」、
つまり人間の「願いごと」と「対価」の現実をリアルに把握しようという「ビジネスの基本」が生まれたのは、ごく最近の話である。

そのため、「人間界意識調査」のときには、叶《かな》えるつもりもない願いを、魔神が聞いて回るのだ。

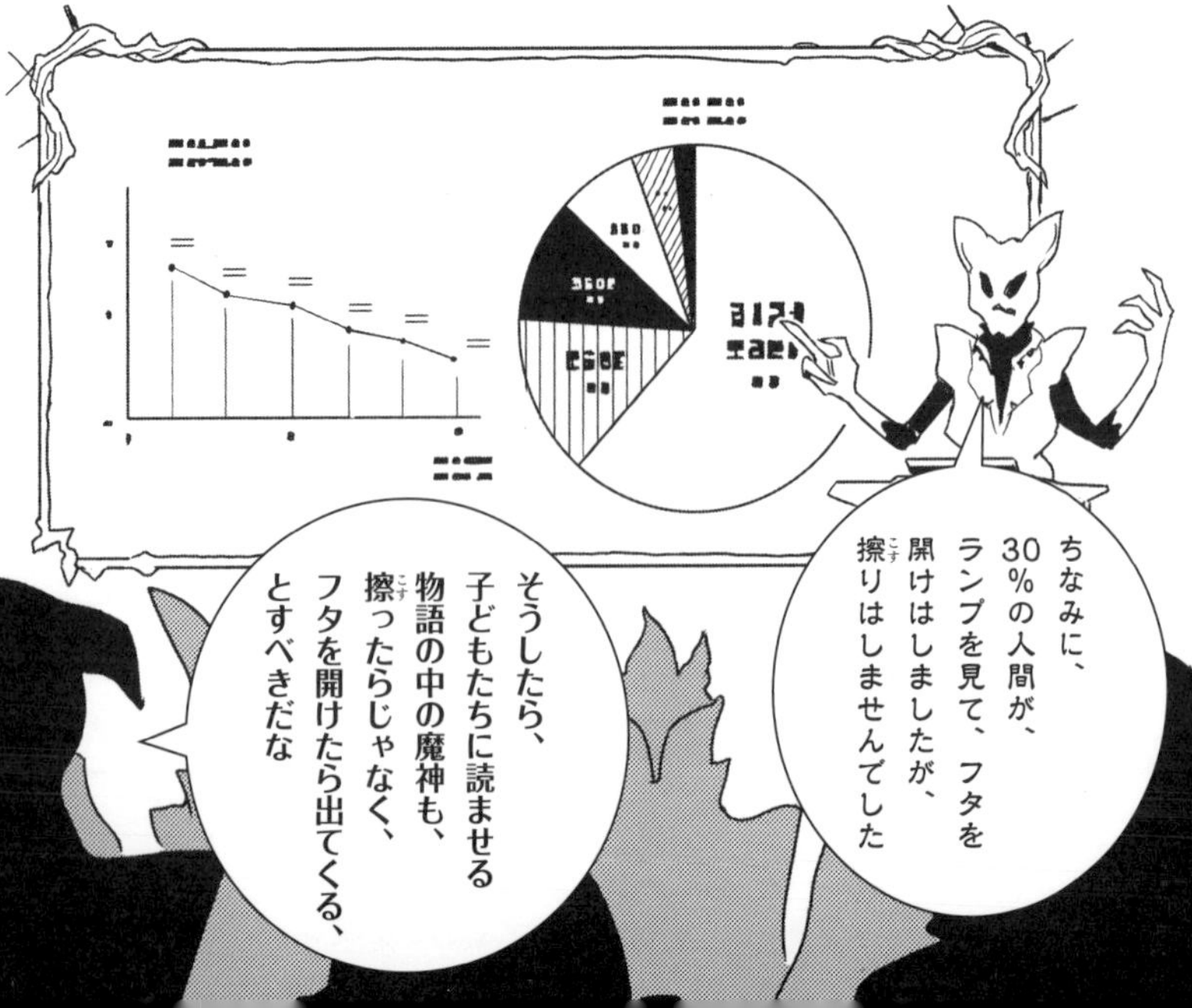
ちなみに、30%の人間が、ランプを見て、フタを開けはしましたが、擦《こす》りはしませんでした
そうしたら、子どもたちに読ませる物語の中の魔神も、擦《こす》ったらじゃなく、フタを開けたら出てくる、とすべきだな

第90話

ランプ

男は蔵《くら》に入り、一生懸命《いっしょうけんめい》、「あるもの」を探した。
蔵に保管されているはずの、
先祖代々《せんぞだいだい》受《う》け継《つ》がれた、それを求めて、
男は蔵の奥深いところまで入っていった。
「あった！」
優美な曲線を描く、真鍮製《しんちゅうせい》のランプである。
昔話の『アラジンと魔法のランプ』に出てくるのと、
まさしく同じ姿《すがた》のランプだ。
「これだよ……これを、探していたんだ！」
男はランプを大切そうに抱きしめた。
男は、蔵からランプを持ち出すと、
丁寧《ていねい》に手入れして、胸躍《むねおど》らせながら手はずを整えた。

「さぁ、いよいよだ！」
男が、ランプの上ブタを開ける。
そして、鍋の中の半《はん》液《えき》体《たい》状《じょう》の黄色い物体を
お玉ですくうと、ゆっくりランプの中に注ぎ入れた。
「やっぱりカレーは、こういう容器に入れたほうが、
雰《ふん》囲《い》気《き》、出るもんなぁ」

第91話

壁《かべ》の穴

「失礼します」
そう声に出して、「面接室」と書かれたドアを開けた。
その面接室の中は、意外すぎる空間であった。
まず、とにかく狭《せま》い。
イスを1脚置ける程度の空間があるだけだ。
そして、暗い。その暗がりの中ドアを後ろ手に閉《し》めると、
ちょうど、目の前の壁《かべ》の顔の高さあたりに、
穴が2つ空いており、そこから光が漏《も》れている。
恐《おそ》る恐《おそ》る、その穴から、壁の向こうをのぞく。
「面接を始めますから、のぞきこまないでください。
そちらにあるパイプイスにお座りください」
向こう側に見える、
イスに腰《こし》かけた、面接官がそう言った。

「ひとつ確認させていただいていいでしょうか。
これは、いつもの面接方法なのですか？」
私の問いに、一拍《いっぱく》おいて、淡々《たんたん》とした口調が答える。
「昨今の社会的情勢を鑑《かんが》みて、我々採用する側が、
見た目や性別で判断しないよう、受験者の外見は、
内定するまでわからないようにしております。
何か、問題でも？　あぁ、声のことですか？
本当は、声で性別、年齢、出身地がわからないよう、
ボイスチェンジャーを準備するつもりだったのですが、
手配が間に合いませんでした。なにとぞお許しください」
文句をつけているように思われてしまったようだ。
「なぜ、そちらの姿《すがた》も見えないんですか？」
「採用する我々も表情や顔つきで威圧感《いあつかん》を与えないよう、
このようにさせて頂いております」
私は、そっと面接室のトビラを開け、面接室を出た。
誰もいない部屋に問いかける、面接官の声だけが、
部屋の中から聞こえていた。

第92話

異世界《いせかい》への入り口

16時44分、○○○駅の2番ホーム、
2両目と3両目の連結《れんけつ》部分の停車《ていしゃ》位置から、
××行きの電車に飛び込めば、
素晴《すば》らしい異世界《いせかい》へと転生できるらしい。
某《ぼう》ネット掲示板《けいじばん》では有名な話。

その異世界では、
これまでの人生が嘘《うそ》のように、
楽しく、喜びに満ちた毎日が送れるらしい。
これも某ネット掲示板では有名な話。

その掲示板を見て、
異世界に転生しようと
○○○駅の2番ホームに佇《たたず》む男が1人。
単なるネットの噂《うわさ》？　いや、違《ちが》う。
男は異世界に行けると確信していた。

何せ、これまで、
「話と違《ちが》った！」なんて書き込みが
一度たりともないのだから。

第93話

危険な女

僕は、マンションの隣室《りんしつ》の女が、
殺人を犯していることを知っている。
ふだんは、ふつうの大学生を演《えん》じているようだが、
僕が知る限り、少なくとも2人の人間を殺害しているはずだ。
彼女がどのように標的《ひょうてき》を決めているかはわからない。
しかし、いつ僕が標的にされてもおかしくはない。
僕は、彼女に狙《ねら》われる前に、そっと引《ひ》っ越《こ》しをした。
その後、警察にも匿名《とくめい》で通報したが、
警察はとりあってくれなかった。
ある日、以前住んでいた、マンションに行ってみると、
隣室の殺人鬼も引っ越していた。
彼女が捕《つか》まった、という報道も見ない。
最近、誰かに監視《かんし》されている気がする。もしかして、
僕は、この瞬間《しゅんかん》も命を狙《ねら》われているのかもしれない――。

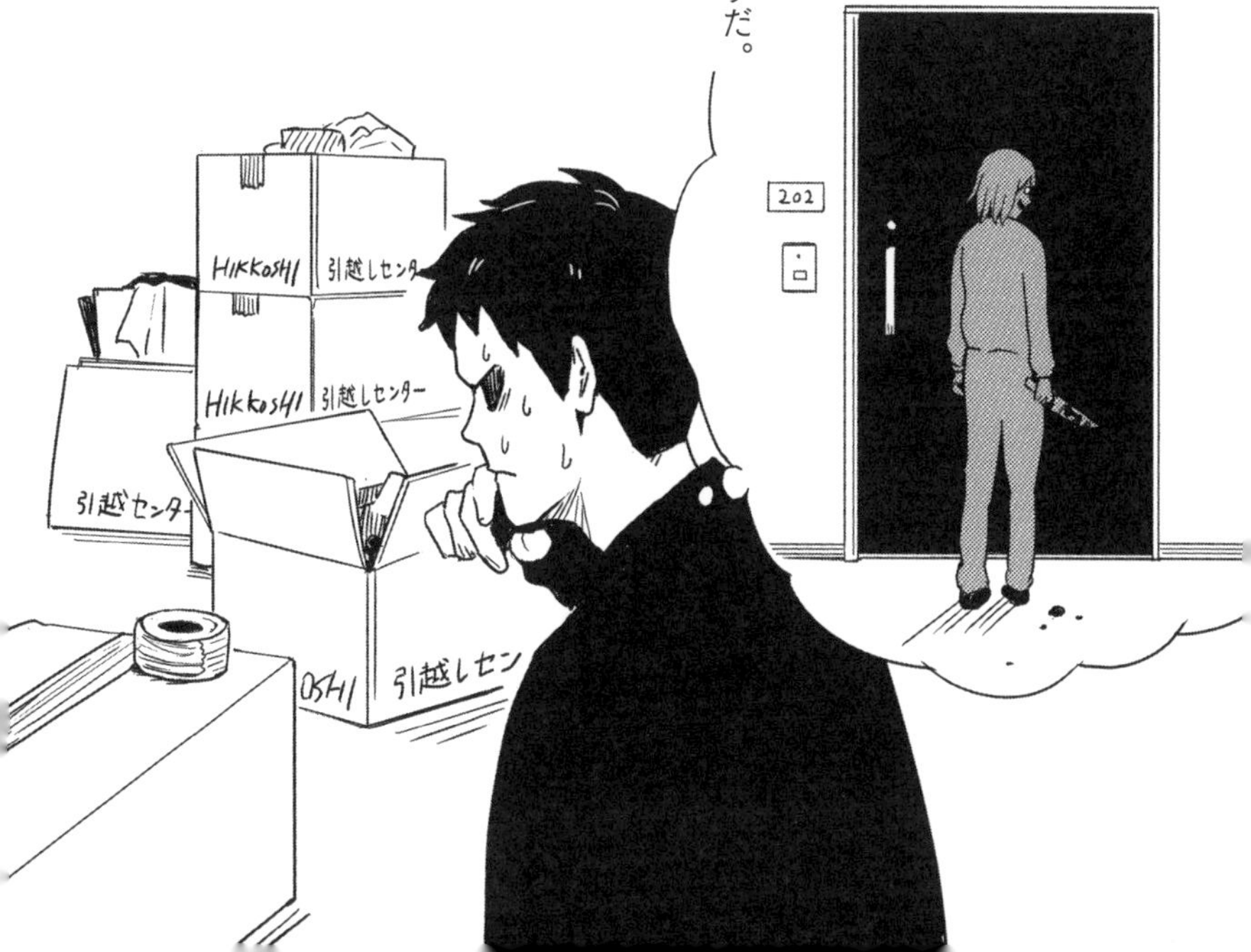

劇団員を雇《やと》い、隠《かく》しカメラの前で、
娘がその男性を殺害する、という小芝居《こしばい》を2回繰《く》り返《かえ》した。
モニターを見ている者には、娘は、殺人鬼に見えるだろう。
これで、ストーカーが終わってくれればよいが……。
娘が、盗撮《とうさつ》の被害に遭《あ》っていることに気づいたのは、
偶然のことであった。
ゴキブリの死骸《しがい》の始末を頼まれ、それをティッシュに
くるんで捨てようとしたところ、手の平に違和感《いわかん》を覚えた。
おそるおそる見てみたところ、それは、ゴキブリの形をした
高性能の盗撮《とうさつ》カメラだった。翌日《よくじつ》の昼間、ブレーカーを
落として探した結果、部屋にはほかに2台の隠《かく》しカメラ
が設置されていた。犯人が誰かはわからない。
だから、盗撮《とうさつ》をやめさせることは難しいだろう。
そこで、ストーカー自らが手を引くような一計《いっけい》を案《あん》じた。
それが、「娘を殺人鬼に仕立てる」という作戦だ。
その後、隣室の男性が急に引っ越しをした。
今、警察が彼を監視《かんし》し、証拠《しょうこ》をあげようとしているそうだ。

第94話

奇《き》跡《せき》の動画

「何でもいいから、最初は目立てばいいんだよ」

動画生配信《どうがなまはいしん》の先輩《せんぱい》のアドバイスを思い出しながら、俺は、レンガ造りの高い建物の屋上から、

生配信をスタートさせた。手元のスマホに目をやる。

「2万人が視聴中《しちょうちゅう》」

今度は、建物の下に目を向ける。

野次馬《やじうま》の中には、アドバイスをくれた先輩の姿《すがた》もある。

俺がよろめく素振《そぶ》りを見せるたび、悲鳴があがる。

俺には、飛び降りるつもりなんて、もちろんない。

もう一度スマホを見た。

「5万人が視聴中」

これだけ目立てば、もう十分だろう。

屋上の端《はし》まで歩いて引き返そうとした瞬間《しゅんかん》、

目の前の景色が大きく傾《かたむ》いた。意識が遠のく——。

意識を取《と》り戻《もど》したとき、俺は地面に寝かされていた。
さっきまで俺を見上げていた野次馬《やじうま》が、
今は、取《と》り囲《かこ》むようにして、俺を見下ろしている。
そして人々の輪の中には、先輩《せんぱい》の姿《すがた》もあった。
後になって知ったことだけど、
屋上のレンガの一部がもろくなっていたらしい。
で、足を滑《すべ》らせて転落した俺を、
偶然《ぐうぜん》、真下にいた先輩が受け止めてくれたそうだ。
俺は、警察や親にこっぴどく叱《しか》られた。
一方、俺の命を救ってくれた先輩は、
いつの間にか、有名動画配信者になっていた。
落下する俺を受け止めた先輩の姿《すがた》が、
「奇跡の動画」として、何千万回も再生されている。
それを見ながら、俺は先輩のアドバイスを思い出していた。
「何でもいいから、最初は目立てばいいんだよ。
でも、奇跡《きせき》は待つものじゃない。自分で作るものだぞ」
あの建物が「映《ば》えるスポット」と教えてくれたのも先輩だ。

第95話

電車

「ここ、どこだ？　まさか、遠くまで来ちゃったか？」
電車の中で目を覚まし、恐《おそ》ろしい予感に襲《おそ》われた。
寝《ね》ている間に、電車が自宅の最寄《もよ》り駅を過《す》ぎ、
遠くまで来てしまっている、という予感である。
――今、電車は、どのあたりを走っているのだろう。
向かいの席では、赤ら顔のおじさんが寝息《ねいき》をたて、
足元にはビールの空《あ》き缶《かん》が転がっている。
他に、人はいない。携帯《けいたい》のバッテリーも切れ、
時間も場所もわからない。電車が止まる気配もない。
まだまだ寝ていたいけれど、
ひとまず先頭車両まで移動することにした。
ところが、行けども行けども、先頭車両が見えてこない。
もう10分以上も電車内を歩き続け、変だなと思った時、
床《ゆか》に転がったビールの空《あ》き缶《かん》が足に当たった。

空き缶が足に当たり、気がついた。
さっきの赤ら顔のおじさんが、同じ姿勢《しせい》で眠っている。
この車両から出発して歩きはじめたのに、
また、この車両に戻《もど》ってきてしまっている。
それは、どういうことだろう。
私は、眠《ねむ》気《け》で停止しそうな脳《のう》をフル回転させて考えた。
そして、結論に至《いた》った。
「そうか、これは、環状線《かんじょうせん》か。
だから、ぐるっと円になっているんだな。
それなら、寝《ね》過《す》ごしても、
電車が、遠くに行ってしまう心配もないな」
私は安心して元の席に座り、
ふたたび深い眠りについた。

第96話 代償《だいしょう》

現代医学に見放された一人娘《ひとりむすめ》を助けるには、
悪魔《あくま》の力を借りるしかなかった。
「娘は、私のいちばん大切な宝物です。代わりに私の
命を差し出します。どうか娘の命を助けてください」
悪魔が舌《した》なめずりしながら言った。
「その願い、聞《き》き届《とど》けた。しかし、お前の命を奪《うば》っても、
お前自身が苦しむことはない。
我々は、『人間の苦しみ』が見たいんだ。
お前からは、2番目に大事なものをもらうとしよう」
その直後、病院から電話があった。理由はわからないが、
娘の身体をむしばんでいた病巣《びょうそう》が消えたのだという。
私は、妻《つま》を車の助手席に乗せ、病院へと急いだ。
交差点を通過するとき、左側の道路から、大型トラック
が信号無視をして突《つ》っ込《こ》んでくるのが見えた。

目を覚ましたとき、私は病院のベッドに寝かされていた。
私自身は、奇跡的《きせきてき》に無傷だったが、
乗っていた車は大破《たいは》し、助手席の妻は即死《そくし》だったらしい。
これが、悪魔との取引の代償《だいしょう》なのだろう――。
悪魔は、「2番目に大切なものをもらう」と言っていたが、
具体的に「何をもっていくか」までは言っていなかった。
だから、「もしかしたら、見逃してもらえるかもしれない」
と思っていたが、やはり悪魔は、甘《あま》くはなかった。
確実に私から、「この世で2番目に大切なもの」を
奪《うば》い取《と》っていった。悪魔が言うとおり、これからの人生を、
私は、苦しみと後悔《こうかい》を抱《かか》えて生きることになるのだろう。
それにしても、妻には本当に悪いことをしてしまった。
私が、「この世で2番目に大切にしている」存在――
世界に1台しかないヴィンテージカーに
同乗させてしまったために、
巻《ま》き添《ぞ》えになってしまったに違《ちが》いないのだから。

第97話

神の子

男は、投打二刀流のプロ野球選手を目指し、
幼《おさな》い頃《ころ》から過酷《かこく》なトレーニングを積んできた。
結果、春夏の甲子園で、5期連続優勝を成《な》し遂《と》げた。
当然、ドラフトでは、全球団から1位指名。
入団したチームの開幕《かいまく》投手《とうしゅ》に選ばれた彼は、
デビュー戦で、いきなり完全試合を達成。
そのうえ、全打席ホームランのおまけつきだ。
男の快進撃《かいしんげき》はその後も続き、
その後、何度も完全試合を達成した。
いつしか彼は、野球の神から祝福《しゅくふく》を受けた
「神の子」と呼ばれるようになっていた。
もちろん、彼の所属する球団は、日本シリーズにも勝利。
そして、その年のシーズンが終わると、
男は球団から戦力外通告を受けた。

男は、シーズンが終わると、球団から戦力外通告を受けた。
それどころか、他球団も彼を獲得《かくとく》しようとしなかった。
事実上の球界追放《きゅうかいついほう》だ。

デビュー後の数試合をピークに、
彼が出場する試合の観客動員数は、
日を追うごとに右肩《みぎかた》下がり。
最初は、彼の活躍《かつやく》にわいたファンも、
しだいに球場から足を遠ざけ、
中継放送も、ほぼ視聴者がいなくなった。
「観客が求めているのは
手《て》に汗《あせ》握《にぎ》る、白熱した試合なんだ。
最初から結果が分かっている試合なんて、
誰が観るっていうんだ。
神の子どころか、とんだ疫病神《やくびょうがみ》だったよ」
球団のオーナーは、ため息をついた。

第98話

リモコン

「なんで、こんなところに、こんなものが？」
見渡《みわた》す限り田畑が広がる田園風景の道端《みちばた》に、
何のかはわからない、黒いリモコンが落ちていた。
ソウタは、それを拾い、何気なくボタンを押してみた。
突然、ソウタの前に高層《こうそう》ビルが出現した。
「なんだこれ？　どういうことだ？」
驚《おどろ》いたソウタが、他のボタンを押すと、
道路がアスファルトに舗装《ほそう》され、カフェ、映画館、
高級ブランドのショップが現れ、
周囲はあっという間に外国の街並《まちな》みのようになった。
次に、赤いボタンを押すと、今度は、映画の中でしか
見たことのないような美女が、ソウタの目の前に現れた。
ソウタは、自分が映画の中の登場人物、
いや映画監督になったような気がした。

ソウタは、リモコンによって出現させたディレクターズチェアに座ると、美女を手招《てまね》きした。

美女は、ソウタに近づくと、置いてあったリモコンを手に取り、ソウタに向け、赤いボタンを押した。

ソウタは、音もなく世界から姿《すがた》を消した。

第99話

開く扉《とびら》、閉じる扉《とびら》

「ユウキ、どうしても開かない金庫があるんだ」
コウジに呼ばれた私は、
彼の妻エミが遺《のこ》した金庫のダイヤルに手を当てた。
幼《おさな》い頃《ころ》から私と仲よくしてくれた2人のためにも、
何とか開けてやりたい——。
コウジから、エミが暗証番号にしそうな番号を聞き、
また、いろいろな方法を試してみた。
しかし、金庫の扉《とびら》は、中に入れられたものを守るように、
思い当たる、あらゆる数字を拒《こば》み続《つづ》けた。
その時、私はふと、昔彼女と会ったときに見た
謎《なぞ》の数字のことを思い出した。
右に21、左に6。ゆっくりとダイヤルを回す。
もう一度右に18。ガチャリ。
重い扉《とびら》が音を立てて開いた。

妻が遺《のこ》した金庫の中身が、ずっと気になっていた。
ひょっとして、あいつなら開けられるのではないか。
そう思って、俺はユウキを呼んだ。ユウキは、
セキュリティ会社に勤めている、幼なじみだ。
ユウキは悩《なや》みながら金庫のダイヤルを回していたが、
急に何かを思い出したようだった。
ガチャリ。
思った通り、ユウキは金庫を開けてしまった。
しかし、私はとっくに金庫を開け、知っていた。
その金庫の中に写真が入っていることを。
そしてそれが、若かりし頃のユウキの写真であることを。
21年6月18日――。それは10年前、俺がエミに
プロポーズした日にプレゼントした指輪の内側に刻《きざ》んだ
記念日だった。しかし、どうしてユウキは、その数字を
知っていたのか。エミは、ユウキの前で指輪を外した?
ガチャリ。
私の心の扉《とびら》が閉ざされる音が聞こえた。

第100話

スフィンクスの謎《なぞ》

ライオンの身体《からだ》、ワシの翼《つばさ》、人間の女性の顔をもつ怪物《かいぶつ》スフィンクスは、通りがかる人間たちに問題を出し、その問題が解けなかった者を喰《く》らっていた。

「朝は4本足、昼は2本足、夜は3本足。これは何か？」

という、その問題を解ける者は誰もいなかった。

あるとき、旅人として通りかかったオイディプスに、スフィンクスは、いつもの問題を出した。

知恵者と言われたオイディプスにも、その問題は解けない。

スフィンクスが跳《と》びかかろうとした瞬間《しゅんかん》、オイディプスは答えた。

「それは人間だ。生まれたばかりのときは4本の手足で這《は》って歩き、成人すると2本足で歩く。そして、年をとると杖《つえ》を使って3本足で歩く」

答を聞いたスフィンクスは、石になり、谷底に落ちていった。

オイディプスとスフィンクスのやりとりを物陰《ものかげ》に隠《かく》れて見ていた人々が、歓声《かんせい》を上げた。

多くの人々が、スフィンクスに苦しめられていたのだ。

「さすが、知恵のあるオイディプス様だ。『朝、昼、夜』が人生だと、そして、『3本目の足』が『杖《つえ》』だと見抜くなんて！」

しかし、素直に人々の賞賛《しょうさん》に応《こた》えることは、オイディプスにはできなかった。

なぜなら、スフィンクスの問題の答えがわからなかったからだ。

スフィンクスが跳《と》びかかってきた瞬間《しゅんかん》、オイディプスは、適当に「人間」と答えた。それは間違いだったのだろう。

スフィンクスは、その答えには反応しなかったのだから。

そこで、オイディプスは、荷物の中から、厳重《げんじゅう》に布に包《つつ》まれた首を取りだし見せた。

それは、とある老人から入手した、ヘビの髪《かみ》が生《は》えた首

――メデューサの首であった。

エピローグ

アポロンの神託《しんたく》により、
「父親を殺す」と予言されたオイディプスは、
その運命から逃れるため、故郷を捨て放浪《ほうろう》の旅に出た。
そして、とある町を歩いていたとき、
彼は、1人の老人に声をかけられた。
「そなたからは、私と同じ運命を感じる。
万が一のときのために、これをそなたに差し上げよう」
そして老人は、布で包《つつ》まれた、
一抱《ひとかか》えもある物体をオイディプスに渡《わた》し、
その物体の使い方を、細かく教えた。
最後に老人は、オイディプスに言った。
「運命は、泥沼《どろぬま》のようなものだ。
そこから抜け出そうともがけばもがくほど、
深みにはまっていくぞ。もがいてはいけない」

「孫に命を奪われる」と予言されたアクリシオス王は、
娘ダナエと孫のペルセウスを、遠方に捨てた。
それから成長し、メデゥーサ退治《たいじ》など、
幾多《いくた》の困難《こんなん》を乗《の》り越《こ》えたペルセウスだったが、
知らず知らずのうちに、祖父アクリシオスを
殺《あや》めてしまい、予言を実現させてしまった。
ペルセウスは深く後悔し、考えた。
——神託《しんたく》は、間違《まちが》いのないものである。
しかし、それが実現してしまうのは、
神託《しんたく》にとらわれすぎて、そこから逃げようとするからだ。
それ以来、ペルセウスは、姿《すがた》を変え、名をいつわり、
町の中で、運命に呪《のろ》われた者を探しては、
アドバイスするようになった。ある日、ペルセウスは、
自分とまったく同じ運命を背負った青年を見かけた。
運命に干渉《かんしょう》すればするほど、その運命は実現してしまう。
ペルセウスは、青年にある物だけを手渡《てわた》した。
若い頃、自分が切り落とした、メドゥーサの首を——。

[執筆一覧]

森久人	第5話、第7話、第8話、第16〜18話、第21話、第22話、第24話、第26〜30話、第36話、第37話、第44話、第52話、第60話、第61話、第66話、第80話
越知屋ノマ	第19話、第20話、第23話、第33〜35話、第38話、第39話、第42話、第62話、第63話、第73話、第84話、第90話
Hama-House	第11話、第13話、第14話、第25話、第54話、第64話、第65話、第68話、第71話、第72話、第76話、第81話、第83話、第85話、第86話、第88話、第91話、第95話、第98話
ＵＫ	第47話、第49話、第55話、第69話、第82話、第92話、第94話、第97話、第99話
花田麻衣子	第53話
桃戸ハル・山田春駒	第9話、第50話
越知屋ノマ・桃戸ハル	第10話

＊上記以外のすべての作品、「プロローグ」「エピローグ」の執筆、および全体の構成は、桃戸ハルによるものです。

- 桃戸ハル

東京都出身。三度の飯より二度寝が好き。著書に、『5分後に意外な結末』シリーズ（学研）、『5分後に意外な結末　ベスト・セレクション』（講談社文庫）など。編集した書籍は、『ざんねんな偉人伝』『パパラギ』（ともに学研）など。

- usi

静岡県出身。書籍の装画を中心に、イラストレーターとして活動。グラフィックデザインやWebデザインも行う。

5秒後に意外な結末　オイディプスの黒い真実

2021年8月3日　　　第1刷発行
2023年11月3日　　　第6刷発行

編著　　　桃戸ハル
絵　　　　usi
発行人　　土屋　徹
編集人　　芳賀靖彦
企画・編集　目黒哲也
発行所　　株式会社Gakken
　　　　　〒141-8416 東京都品川区西五反田2-11-8
印刷所　　中央精版印刷株式会社
DTP　　　株式会社 四国写研

［お客様へ］
【この本に関する各種お問い合わせ先】
○本の内容については、下記サイトのお問い合わせフォームよりお願いいたします。
　https://www.corp-gakken.co.jp/contact/
○在庫については、℡03-6431-1197（販売部）
○不良品（落丁・乱丁）については、℡0570-000577
　学研業務センター　〒354-0045　埼玉県入間郡三芳町上富279-1
○上記以外のお問い合わせは　℡0570-056-710（学研グループ総合案内）

©Haru Momoto、usi、Gakken 2021 Printed in Japan
本書の無断転載、複製、複写（コピー）、翻訳を禁じます。本書を代行業者等の第三者に依頼してスキャンやデジタル化することは、たとえ個人や家庭内での利用であっても、著作権法上、認められておりません。

学研の書籍・雑誌についての新刊情報・詳細情報は、下記をご覧ください。
学研出版サイト　https://hon.gakken.jp/